Eva-Maria Kraske

L'ÉQUILIBRE ACIDO-BASIQUE

- Identifier les troubles et reconnaître les symptômes
- Corriger son alimentation
- Purifier son organisme

VIGOT

Santé & Bien-être

Sommaire

C'est l'équilibre des forces, le rapport harmonieux entre le Yin et le Yang, qui fait de nous ce que nous sommes et détermine le rapport que nous avons aux autres et au monde.

À Johanna-Amalie, Hans-Helmut, Hans-Michael, Hanne-Michaela et Ursula-Friederike.

Mes remerciements vont tout particulièrement à Anke Pauselius.

Remarque préliminaire

Vous trouverez dans ce livre une description des troubles susceptibles de se produire en cas de modification du rapport acides/bases ainsi qu'une présentation des méthodes de régulation envisageables. Certaines des mesures proposées s'écartant de la doctrine médicale courante, il est vivement recommandé aux personnes malades, surtout si elles souffrent de troubles métaboliques, de toujours en référer à leur médecin avant d'apporter un quelconque changement à leurs habitudes alimentaires et à leur mode de vie. Il est en outre indispensable d'observer scrupuleusement toutes les indications fournies ci-après concernant d'éventuels examens médicaux ou prises en charge thérapeutiques.

Avant-propos

Dans la nature, tout processus chimique se déroule dans un milieu et un environnement donnés se caractérisant par un degré d'acidité déterminé. L'exemple classique est celui des forêts dont l'acidification du sol se traduit par une dégradation considérables de la santé des essences.

Il en va exactement de même en ce qui concerne notre organisme : seul un degré d'acidité constant du sang et des tissus permet à nos cellules de naître et de mourir selon un cycle normal et à notre corps d'emmagasiner toute l'énergie dont il a besoin pour fonctionner correctement. Tout écart par rapport à cette norme très stricte se traduit au mieux par un ralentissement du métabolisme et aux pire par un dérèglement complet de l'organisme. Les solutions de la médecine classique face à nombre de maladies et de troubles, tels que rhumatismes, ostéoporose, infections intestinales aux levures, affections cutanées chroniques, migraine, cancer, goutte ou épuisement psychique (pour n'en citer que quelques-uns), restent très insatisfaisantes. En naturopathie, ces affections et quantité d'autres sont considérées comme étant en rapport avec une hyperacidité du métabolisme. Notre mode de vie et surtout notre façon de nous alimenter conduisent, d'après les naturopathes, à une modification du milieu organique naturel et à un dérèglement du métabolisme. Des moyens simples peuvent toutefois être mis en œuvre pour empêcher les écarts par rapport à la norme et rétablir l'équilibre.

Des limites étroites

Mode de vie, alimentation

La recherche de l'équilibre acido-basique constitue donc non seulement une excellente mesure préventive, mais aussi un moyen d'améliorer à bon compte une santé défaillante, sinon de guérir de certaines maladies.

Dr Eva-Maria Kraske

La santé par l'équilibre acido-basique

Aussi perfectionné soit-il, notre organisme aurait du mal à remplir ses nombreuses tâches et fonctions si nous ne lui donnions pas régulièrement un coup de pouce. Pour cela, nous devons apprendre à être à l'écoute de notre corps, à le ressentir et à le comprendre. En lui offrant toute l'attention qu'il requiert, en le nourrissant convenablement, en le ménageant par un mode de vie équilibré et en l'entraînant de manière adéquate, nous ferons énormément non seulement pour notre santé physique, mais aussi pour notre santé psychique. En parvenant ainsi à trouver l'équilibre entre tension et décontraction, entre discipline et douceur de vivre et, bien sûr, entre acides et bases, nous mettrons toutes les chances de notre côté pour rester actifs et en bonne santé le plus longtemps possible.

Le rapport acides/bases

Milieu constant

Avec les échanges métaboliques, le travail des muscles et des nerfs ainsi que la production continuelle de nouvelles cellules venant remplacer les anciennes, notre organisme est le siège permanent de processus biochimiques indispensables à la vie. Or, pour que tout fonctionne bien, ces processus extrêmement subtils réclament un milieu constant. Il faut pour cela qu'un rapport équilibré règne entre les acides et les bases, également appelées alcalis, contenues dans les fluides corporels et à l'intérieur des cellules. Le degré d'acidité ou d'alcalinité (pH) du sang n'admet à cet égard que des fluctuation minimes, alors que celui des tissus et de l'urine peut être plus fluctuant.

Qu'est-ce que les acides et les bases ?

Les acides sont des corps dont la composition chimique se caractérise par la présence d'ions d'hydrogène (H+), particules chargées positivement, tandis que les bases, ou alcalis, se composent d'ions d'hydroxyde (OH-), particules chargées négativement et comprenant à la fois des atomes d'oxygène et des atomes d'hydrogène. Lorsqu'une solution est dominée par les ions libres H+, elle est dite acide. Lorsque ce sont au contraire les ions libre OH- qui sont majoritaires, on est en présence d'une solution dite basique.

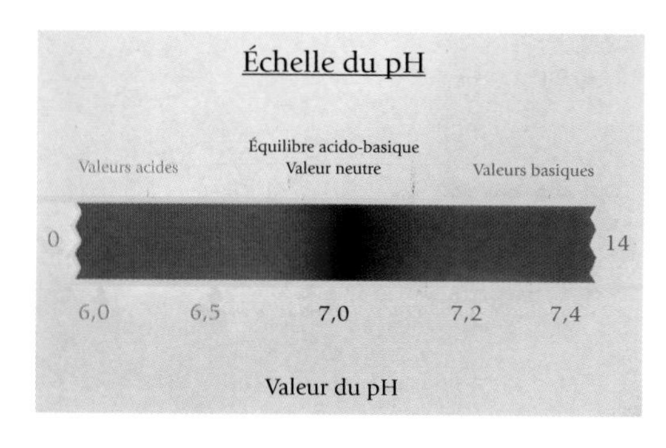

Le pH

Le degré d'acidité

Le pH (potentiel hydrogène) est l'unité dont on se sert pour mesurer la concentration d'ions d'hydrogène pour un litre de solution. L'échelle du pH va de 1, très acide, à 14, très basique, 7 représentant la neutralité. Une solution neutre, c'est-à-dire dont le pH équivaut à 7, contient la même quantité de particules acides (H+) que de particules basiques (OH-) et se caractérise donc par une compensation des effets.

L'influence du pH sur notre organisme

Répercussions générales

Le degré d'acidité de l'organisme se répercute sur la qualité des molécules protéiques, sur la structure des éléments cellulaires et sur la perméabilité des membranes entourant les cellules. C'est en outre de lui que dépendent l'efficacité des enzymes et des hormones, la répartition des électrolytes – particules organiques chargées d'électricité – ainsi que la formation et le fonctionnement des tissus conjonctifs reliant les cellules entre elles. Il est particulièrement important que le degré d'acidité du sang, principal vecteur des innombrables substances chimiques qui parcourent notre corps, présente une valeur constante située autour de 7,4. En cas de fluctuation (uniquement dans une fourchette allant de 7,3 à 7,8), l'organisme rétablit spontanément l'équilibre.

Les principaux mécanismes de régulation

L'organisme dispose de plusieurs systèmes de protection, généralement appelés « systèmes tampons », qui lui permettent de compenser les éventuels écarts dans le pH des fluides corporels et des cellules par rapport à la valeur souhaitable.
Parmi ces systèmes tampons, l'hémachrome, les protéines sanguines et certaines protéines cellulaires ont la faculté de capter les acides. Les principaux agents régulateur du rapport acides/bases sont toutefois les poumons et les reins, tandis que, par la transpiration, la peau peut elle aussi contribuer au rééquilibrage.

Poumons, reins, peau

En produisant naturellement des acides (acide chlorhydrique) et des bases (bicarbonate de sodium), l'estomac influe sur l'équilibre acido-basique de l'organisme. Par ailleurs, le tissus conjonctifs entourant les cellules stockent les acides. Principal organe métabolique, le foie exerce lui aussi une action régulatrice sur le degré d'acidité de l'organisme. Enfin, la charpente osseuse constitue un important réservoir de minéraux d'où le corps peut tirer des bases lorsqu'il est à court.

Lorsque l'un des systèmes tampons fonctionne mal, un autre entre en action et pallie dans la mesure du possible la défaillance. Si par exemple les poumons sont abîmés et ne parviennent pas à expulser convenablement le gaz carbonique, les reins se mettent à excréter davantage d'acides. Aussi est-il parfois difficile de déterminer la véritable cause d'un écart dans le rapport acides/bases de l'organisme par rapport aux valeurs normales. Par ailleurs, lorsqu'un organe est malade, plusieurs autres se trouvent surmenés et peuvent à leur tour tomber malades. Devant une telle profusion de systèmes de régulation, on imagine combien il est important pour le bon fonctionnement de l'organisme que le degré d'acidité du sang soit maintenu à une valeur constante.

Action compensatoire des organes

Excrétion par les poumons

À chaque expiration, une partie du dioxyde de carbone, acide véhiculé par le sang, est expulsée hors de l'organisme par les poumons sous forme de gaz carbonique. Pour lutter contre l'hyperacidité, les personnes souffrant de désordres métaboliques ont tendance à expirer spontanément plus fort qu'elles n'inspirent car c'est là un moyen d'éliminer les acides.

Excrétion par les reins

Les reins jouent un rôle essentiel dans l'élimination des acides. Ils disposent de cinq mécanismes biochimiques différents intervenant dans le rapport acides/bases. En cas d'hyperacidité occasionnelle, ils peuvent par exemple économiser les bases en excrétant moins de bicarbonate de sodium que d'habitude. Ils peuvent aussi échanger les acides excédentaires se présentant sous forme d'ions H^+ contre des ions de sodium et des ions de potassium. Lorsque l'urine est acide, c'est-à-dire que le pH urinaire tombe en dessous de 6,0, les reins ont en outre la possibilité d'excréter des acides organiques ou des liaisons d'azote en plus grand nombre que d'habitude. Pour rendre ce mécanisme de régulation opérant, il est toutefois indispensable de boire beaucoup, car l'eau aide considérablement les reins dans leur fonctionnement.

Boire beaucoup

La meilleure recette qui soit – le lait maternel

Les reins du nourrisson ne sont pas encore en mesure de réguler la teneur de l'organisme en minéraux, en acides et en bases. C'est pourquoi le lait maternel présente un degré d'acidité qui n'entrave pas le métabolisme – ce qui se remarque au fait que le pH urinaire des bébés non encore sevrés se situe entre 8,0 et 8,5, c'est-à-dire dans une fourchette nettement basique. Le lait maternel est donc l'aliment optimal pour le nouveau-né.

Rien de tel que le lait maternel

Aperçu historique du rapport acides/bases

En naturopathie, le traitement des maladies repose sur l'équilibrage du rapport acides/bases. Le médecin suisse Paracelse avait déjà compris au XVe siècle le rôle essentiel joué par les aliments complets dans l'entretien et le renforcement des sucs corporels. Au tout début du XXe siècle, le médecin autrichien F. X. Mayr allait jeter les bases d'une théorie digestive fondamentale, mettant à cette occasion en évidence l'importance du rapport acides/bases.

Connu depuis longtemps

Dans les années 1920, le médecin nutritionniste suédois Ragnar Berg plaça le métabolisme des sels minéraux et des oligo-éléments au centre de la discussion. À cette époque, les savants s'interrogeaient déjà sur le lien entre l'alimentation et la production d'acides par l'organisme. Dans leurs travaux de recherche, les pionniers de la diététique que furent, par exemple, Maximilian Bircher-Benner ou Friedrich Sanders concluaient certes sans équivoque à l'importance d'un rapport acides/bases équilibré, mais ne parvenaient pas à en apporter la preuve scientifique incontestable.

Depuis lors, l'effet pathologique de l'hyperacidité insidieuse des tissus organiques est resté l'un des concepts clés de la naturopathie et de la médecine holistique. En revanche la médecine classique ne prend en considération que les troubles métaboliques manifestes. Les écarts très important par rapport aux normes d'acidité souhaitées – acidose en cas d'acidité exagérée et alcalose en cas d'acidité insuffisante – font alors l'objet de traitements médicamenteux souvent éprouvant pour l'organisme.

Écarts très importants

À quelles influences le rapport acides/bases est-il soumis ?

De même que la combustion du charbon dans les centrales électriques produit de la calamine, les échanges métaboliques dans l'organisme donnent naissance à des résidus toxiques qu'il convient d'éliminer afin qu'ils n'encombrent pas les tissus. Le meilleur exemple est l'accumulation dans les muscles d'acide lactique à la suite d'un effort physique intense. Chez les personnes peu entraînées, une telle quantité d'acide ne peut pas être éliminée tout de suite, car leurs tissus ne sont pas suffisamment irrigués pour faire face à pareille situation – c'est là la principale cause des courbatures.

Acide lactique

Outre les dépôts de résidus métaboliques, phénomène physiologique parfaitement normal, l'hyperacidité des tissus peut aussi avoir pour origine le mauvais fonctionnement d'un ou plusieurs organes. C'est notamment le cas en ce qui concerne l'intestin. La pollution environnementale, la prise de médicaments et les erreurs d'alimentation provoquent souvent une altération de la flore intestinal d'où il peut découler de sérieux troubles digestifs (voir page 22).

Troubles intestinaux

La régulation du rapport acides/bases est assurée par les émonctoires, ou organes excréteurs (voir page 10), qui éliminent ou retiennent les acides et les bases en fonction des besoins spécifiques de l'organisme. S'il reste toutefois encore trop de résidus métaboliques dans les tissus en raison d'une production accélérée ou d'un dysfonctionnement organique, le rapport acides/base s'en trouve déséquilibré.

Il existe plusieurs façon simple et naturelles d'influer sur le rapport acides/bases, comme par exemple surveiller son alimentation, faire de l'exercice ou changer de mode de vie.

L'alimentation

C'est le résultat final qui compte

Dans la société moderne, l'invasion de l'organisme par les acides est devenue monnaie courante. Car à côté de la régulation par le sang, les poumons et les reins, l'alimentation joue un rôle fondamental dans le rapport acides/bases. Il est possible de classer les aliments en deux grandes catégories : les produits acidifiants et les produits alcalinisants, selon que le résultat final, après transformation par l'organisme, est plutôt acide ou plutôt basique. Les sels minéraux et les oligo-éléments ont un effet alcalinisant, tandis que les protides et les glucides favorisent la formation d'acides. Les protéines animales poussent davantage l'estomac à produire de l'acide chlorhydrique que les protéines végétales. De manière générale, notre régime alimentaire comprend trop de glucides et de protides et pas assez de fruits et de légumes alcalinisants. La proportion de sucre, de farine raffinée et de viande consommée chaque jour est très supérieure à ce qu'elle devrait être.

Fruits murs et légumes – les meilleurs aliments alcalinisants.

Outre la consommation excessive de protides et de glucides, certains produits d'usage courant tels que l'alcool, le café, le thé, le tabac ou les sodas contribuent aussi pour une large part à l'acidification des tissus.

Les boissons

Au moins 1,5 litre d'eau par jour

Pour un rapport acides/bases équilibré, il est recommandé de boire au moins 1,5 litres d'eau par jour. Or la plupart des gens sont très en deçà, si bien que leurs reins ne sont pas en mesure d'éliminer la quantité nécessaire de résidus métaboliques. À cela s'ajoute le fait que l'eau minérale, alcalinisante ou contenant directement des bases, est souvent remplacée par des boissons acidifiantes, comme le café, les jus sucrés à base de concentré, les boissons alcoolisées ou les sodas.

L'exercice

L'activité physique stimule l'organisme dans son ensemble. Pratiquée de façon régulière et modérée, elle permet de renforcer le système cardio-vasculaire, les tissus conjonctifs, la peau et les poumons. L'exercice est également indispensable au bon fonctionnement de l'intestin.

Intestin et mouvement

En se dépensant physiquement, on élimine du dioxyde de carbone par les poumons. Lorsque l'alimentation offre un apport suffisant en bases, celles-ci sont disponibles à tout moment pour prendre la place des acides éliminés. L'expulsion de l'acide lactique hors des muscles s'en trouve accélérée. Aussi est-il recommandé avant tout effort physique de manger des aliments alcalinisants afin de se constituer des réserves suffisantes.

La transpiration chez le sportif en plein effort ne doit pas être considérée comme une chose répugnante, mais plutôt comme le signe positif que l'organisme est en train de se débarrasser de ses toxines. Avec la sueur, sont en effet élimés quantité de résidus métaboliques. La peau est nettoyée et l'activation de la circulation lui donne un meilleur aspect.

Prévoyance

Par contre, en cas d'entraînement excessif, on assiste à un surmenage de l'organisme et des systèmes tampons (voir page 9) conduisant dans la plupart des cas à des phénomènes d'hyperacidité locale, sources de douleurs musculaires et de crampes.

> Durant l'effort physique, lorsque vous transpirez à grosse gouttes, veillez toujours à bénéficier d'un apport suffisant en oxygène et à vous hydrater abondamment. La boisson la plus recommandée est alors l'eau minérale non gazeuse.

De l'air frais durant l'effort

Le mode de vie

Il est important de considérer notre corps et notre esprit comme constituant un tout, car c'est la seule façon de parvenir à un rapport équilibré entre acides et bases.

Le stress et les tensions psychologiques nous empoisonnent littéralement l'existence puisque non seulement ils exercent une action acidifiante directe sur l'organisme, mais qu'ils ont aussi pour conséquence que nous nous nourrissons mal – soit que l'on se jette sur la nourriture pour compenser, soit que l'on cesse quasiment de s'alimenter, n'ayant plus aucun appétit. À cela s'ajoute une consommation accrue de sucreries, de cigarettes et d'alcool, tous trois également facteurs d'hyperacidité.

Pour atteindre un état d'équilibre et d'harmonie, il est indispensable d'avoir une attitude positive face à la vie, d'accepter les épreuves lorsqu'elles se présentent et de savoir se détendre le moment venu. Le fait de devoir constamment se dépêcher influe considérablement sur notre équilibre acido-basique – directement en ce que l'on mange plus souvent des plats tout préparés que des produits frais et indirectement en ce que notre corps consomme davantage de minéraux.

Attitude positive

Évaluation du rapport acides/bases

Alors que le degré d'acidité du sang reste à peu près constant grâce aux systèmes tampons de l'organisme, sauf en cas de troubles métaboliques graves (voir page 11), la salive et l'urine peuvent présenter des fluctuations importantes – ce qui est assez facile à vérifier par soi-même. Évaluer le degré d'acidité régnant au contact direct des cellules, c'est-à-dire dans les tissus, nécessite en revanche l'utilisation d'un outillage complexe.

Dans la salive et les urines

En laboratoire

Seulement en cas de déséquilibre grave

Les laboratoires d'analyses disposent de moyens très perfectionnés pour mesurer avec précision le degré d'acidité ou d'alcalinité de l'organisme. Outre le pH sanguin, les médecins peuvent déterminer le pouvoir tampon des fluides tissulaires. Il s'agit là de calculs très compliqués nécessitant beaucoup de temps. Aussi ne sont-il généralement prescrits qu'en cas de troubles métaboliques graves avec déséquilibre important du rapport acides/bases.

Mesurer son pH urinaire

Il existe une façon beaucoup plus simple, bien que moins précise, pour connaître le degré d'acidité ou d 'alcalinité de ses fluides corporels : mesurer son pH urinaire au moyen de bandelettes de papier réactif vendues en pharmacie.

Les bandelettes existent sous plusieurs formes

Les bandelettes que vous choisirez doivent couvrir une fourchette de valeur pH allant au moins de 5,0 à 8,0. Veillez lors de l'achat à ce que les différentes valeurs soient indiquée par une coloration bien distincte du papier. Personnellement, je me sers toujours d'une bande continue présentée dans un dérouleur en carton sur lequel figure l'échelle colorimétrique, dont une moitié des couleurs va du vert au bleu et l'autre du jaune

au rouge. Cela permet de déceler les moindres fluctuation du pH urinaire. Demandez conseil à votre pharmacien.
Quel que soit le type de produit que vous aurez choisi, vous pourrez soit mettre brièvement la bandelette en contact avec le jet d'urine, soit la plonger dans le liquide que vous aurez recueilli dans un récipient en verre. Lors de cette dernière opération le contact doit également être bref car sinon le résultat risquerait de s'en trouver faussé ! Il vous suffit ensuite de comparer la couleur obtenue avec l'échelle colorimétrique et de voir à quel pH elle correspond.

Comparer les couleurs

Quelle est la valeur souhaitable ?

À l'inverse du sang, dont le degré d'acidité reste toujours à peu près constant, l'urine présente un pH variable. Sa valeur peut fluctuer entre 5,0 à 8,0 – fourchette couverte par vos bandelettes – sans qu'il faille en conclure immédiatement à un déséquilibre chronique. De même que notre rythme biologique est soumis au cycle du jour et de la nuit, il est normal, même chez une personnes ayant une bonne hygiène de vie, que le degré d'acidité et d'alcalinité des tissus varie selon les moments de la journée. La valeur du pH augmente après la prise d'un repas riche en aliments alcalinisants, tandis qu'au réveil, après un long moment passé à dormir, elle a plutôt tendance à se situer dans le bas de l'échelle, c'est-à-dire entre 5,0 et 6,5.

Fluctuations normales

Mon profil journalier

En ne mesurant son pH urinaire qu'une seule fois il est impossible de tirer une quelconque conclusion sur le fonctionnement de son métabolisme. Le mieux est de procéder à plusieurs contrôle tout au long d'une journée type afin d'établir un diagramme. Pour vous faire une idée exacte de votre profil journalier, prévoyez sept contrôles :

Sept fois par jour

- avant le petit déjeuner (entre 06h00 et 07h00)
- après le petit déjeuner (vers 10h00)
- avant le déjeuner (entre 12h00 et 13h00)
- après le déjeuner (entre 15h00 et 18h00)
- avant le dîner (entre 18h00 et 20h00)
- après le dîner (entre 20h00 et 21h00)
- juste avant d'aller se coucher

Si, avant le petit déjeuner et juste avant d'aller vous coucher, votre pH se situe en dessous de 6, ne vous inquiétez pas. Comme il a été dit précédemment, il s'agit là de fluctuations normales liées au rythme biologique et à l'alternance entre jour et nuit. Après avoir mangé, votre pH doit toutefois normalement se rapprocher de 7,4 et même dépasser cette valeur.

Après les repas

Le diagramme ci-dessous montre très bien les fluctuations du pH au cours d'une journée. La zone jaune, celle qui n'indique aucun problème métabolique, montre aussi qu'il n'y a pas pour chaque heure de la journée une valeur idéale unique et que la marge – comprise avant le petit déjeuner entre 5,0 et 6,5 – peut être très large. Si lors de vos sept contrôle vous vous trouvez dans la zone jaune, c'est que votre rapport acides/bases est équilibré.

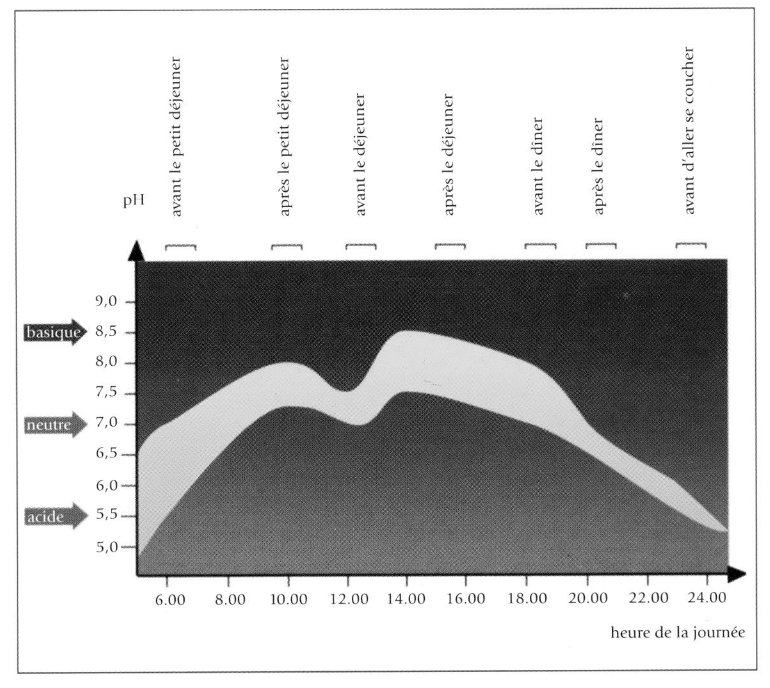

Le profil idéal est compris dans la zone jaune

Pas à pas vers l'équilibre acido-basique

Les indications et les conseils qui suivent vont vous aider à lutter contre l'hyperacidité chronique et à prévenir les risques de rechute. Vous apprendrez notamment comment obtenir un meilleur rapport acides/bases au travers de l'alimentation. Les méthodes d'élimination et de détoxication jouent bien sûr un rôle important dans le bon fonctionnement du métabolisme, mais n'oubliez pas que le mode vie importe plus que tout. C'est à vous seul qu'il appartient de trouver votre propre équilibre en fonction de vos ressources physiologiques et psychologiques.

Important pour la pratique

Qu'est-ce que la désacidification ?

Se désacidifier revient à essayez de faire baisser le degré d'acidité de ses tissus de manière à parvenir à l'équilibre acido-basique. Vous y serez lorsque les valeurs de votre pH urinaire après les repas (voir page 16) se situeront systématiquement autour de 7,4. La désacidification s'effectue en trois étapes :

Trois étapes

- Point sur la situation (établissement du profil acido-basique journalier, analyse du mode de vie et mise en lumière des facteurs de stress)
- Changement de régime alimentaire (régime basique, classement des aliments en deux catégories : acidifiants et alcalinisants, boissons basiques, régime dissocié)
- Équilibre acido-basique au quotidien – vivre harmonieusement, manger équilibré, apprendre à se relaxer, favoriser l'élimination, faire de l'exercice

À quoi voit-on les résultats ?

Embellissement de la peau, des cheveux et des ongles sur le long terme.

On constate assez rapidement :

- une amélioration de l'état de santé général,
- une augmentation de la résistance psychologique,
- une diminution des troubles digestifs, à condition qu'ils soient liés à l'hyperacidité,
- et une amélioration de la circulation se traduisant par une diminution, voire la disparition de symptômes tels que froideur des pieds et des mains ou migraines.

Sur le long terme, on constate :

- un renforcement du système immunitaire,
- une plus grande vitalité de la peau, des cheveux et des ongles,
- une diminution du nombre des caries dentaires et une meilleure circulation du sang dans les gencives,
- une accélération des processus de guérison lors de maladies chroniques

- une augmentation de la souplesse musculaire et une diminution des douleurs consécutives à l'effort,
- amélioration des symptômes de certaines maladies chroniques comme la goutte ou les rhumatismes,
- un ralentissement de la dégradation du tissu osseux lors d'ostéoporose

Contre l'ostéoporose

L'hyperacidité aiguë représente-t-elle un risque ?

Les écarts de courte durée par rapport aux valeurs normales du pH sont sans grande conséquence pour la santé. En revanche, très insidieuse, l'hyperacidité chronique est susceptible de provoquer des maladies et d'empêcher la guérison des affections existantes. Seule l'acidose clinique, qui est le signe d'une maladie grave et se manifeste par une diminution anormale du pH sanguin, nécessite une prise en charge médicale immédiate et intensive.

Savoir s'amuser

Si vous faites habituellement attention à votre rapport acides/bases, vous pouvez vous permettre de temps à autres quelques excès sans que votre équilibre s'en trouve compromis. Aussi n'hésitez pas à célébrer dignement les grandes occasions, car il est aussi important de savoir se faire plaisir le moment venu. Mais souvenez-vous que toutes les bonnes choses ont une fin !

Qui doit rechercher l'équilibre acido-basique ?

Les personnes bien portantes qui recherchent le bien-être et souhaitent éviter de tomber malades.
Les personnes malades qui veulent aider leur corps à se défendre et souhaitent voir leurs symptômes disparaître ou diminuer.

Dans quels cas la correction du rapport acides/bases nécessite-t-elle un soutien médical ?

Il est recommandé à toute personne n'étant pas sûre que le régime alimentaire, les méthodes d'élimination et les techniques de relaxation préconisées dans ce livre lui conviennent de demander conseil à un médecin ou à un thérapeute de confiance. En règle générale, il est toujours préférable – que l'on soit malade ou non - d'en référer à son médecin lorsqu'on a l'intention de réformer ses habitudes alimentaire et

Demandez conseil à votre médecin !

son mode vie, et cela même si les nouvelles résolutions vont dans le sens d'une meilleure hygiène de vie et sont sensées apporter un regain de bien-être corporel et psychique.

Si vous êtes malades, référez-en à votre médecin !

Attention !

- Si vous souffrez d'insuffisance rénale grave, vous ne devez en aucun cas chercher à influer sur votre métabolisme, même pour atteindre l'équilibre acido-basique, sans l'avis de votre médecin.
- Si vous avez des problèmes de coagulation et que vous prenez des médicaments pour fluidifier le sang, notamment des produits à base de phenprocoumon, demandez conseil à votre médecin avant de changer vos habitudes alimentaires.
- En cas de troubles psychiques graves tels que l'anorexie, la boulimie ou autres troubles alimentaires, la dépression ou le surmenage psychologique, il est également recommandé de demander conseil à votre médecin.
- Si vous sortez d'une grave maladie ou d'une opération, il est bien sûr important de corriger votre rapport acides/bases, mais il est préférable de mettre votre médecin au courant de vos intentions afin de discuter avec lui du pour et du contre.
- Seules les personnes bien portantes peuvent recourir aux techniques d'élimination et de détoxication, telles que le nettoyage intestinal ou le jeûne, sans suivi médical.
- Les personnes souffrant de maladies cardio-vasculaires ou de maladies s'accompagnant d'une perte de poids importante, comme par exemple le cancer ou le sida, doivent également se faire conseiller et suivre par leur médecin.

Quel rôle joue l'intestin ?

L'importance de le flore intestinale

La santé prend son origine dans l'intestin. Aussi les troubles digestifs peuvent-ils avoir des conséquences extrêmement graves pour l'ensemble de l'organisme. L'intestin abrite des millions de micro-organismes qui, tous ensemble, assurent une partie du travail de digestion.

En collaboration avec les sucs digestifs produits par les organes impliqués dans la digestion – l'estomac, le foie et le pancréas –, cette « flore » effectue un important travail de transformation et de dégradation des aliments. L'intestin étant notre plus grand organe immunitaire, il est en outre très important que la flore intestinale reste intacte afin de pouvoir défendre l'organisme contre les agents pathogènes et les substances toxiques. Notre capacité à résister aux maladies est donc étroitement liée à l'état de notre flore intestinale.

Causes de troubles intestinaux

Outre les affections intestinales et les allergies, les troubles digestifs peuvent avoir trois causes principales :

- une alimentation acidifiante
- la présence dans l'intestin de levures pathogènes (par ex. Candida albicans)
- un traitement antibiotique ou une chimiothérapie, tous deux susceptibles d' endommager ou même de tuer la flore intestinale.

Les bactéries composant la flore intestinale ont besoin, dans chaque segment de l'intestin, d'un pH optimal. Lorsque l'alimentation se compose essentiellement de produits acidifiants, elles succombent à l'acidité régnante. Moins sensibles aux fluctuations du pH, les agents pathogènes, tels que certaines levures, peuvent alors proliférer librement et envahir le terrain. L'organisme s'en trouve durablement affaibli et peut ne pas s'en remettre.

Vaut-il mieux commencer par une cure intestinale ou par la correction du rapport acides/bases ?

Cercle vicieux

Il n'y a pas d'équilibre acido-basique possible sans un intestin et une flore intestinale en bonne santé – or sans équilibre acido-basique, l'intestin et la flore intestinale ne peuvent pas être en bonne santé.
Si vous souffrez de troubles digestifs, il est indispensable que vous en parliez avec votre médecin afin de trouver un traitement qui vous convienne.
En tout état de cause, la régénération de votre flore intestinale et le traitement des symptômes doivent aller de paire avec une recherche de l'équilibre acido-basique.

■ Combien de temps l'équilibre acido-basique doit-il être maintenu ?
Le plus longtemps sera le mieux et si possible durant toute votre vie.

Première étape – Point sur la situation

Nous avons désappris à interpréter les maladies comme des appels à l'aide. Comme notre corps ne dispose d'aucun signal lumineux ou sonore pour nous avertir que quelque chose ne va pas, nous devons prêter une attention particulière à tous les symptômes physiques et psychiques susceptibles d'apparaître, apprendre à les reconnaître et surtout ne jamais passer outre. Nous croyons pouvoir nous en tirer à bon compte en prenant des médicaments, mais c'est comme si un chauffeur mettait du sparadrap sur les avertisseurs de son tableau bord au lieu de rechercher ce qui ne va pas. En prenant un cachet lorsque nous avons mal à la tête, nous faisons certes disparaître le symptôme, mais, la cause n'ayant pas été élucidée, il y a toutes les chances pour qu'ils réapparaissent et que la situation s'aggrave progressivement. Nous devons donc essayer d'être plus attentif à ce que nous dit notre corps et chercher davantage à satisfaire ses besoins réels.

Les appels à l'aide de votre corps

Signes d'hyperacidité chronique du métabolisme

Il ne se sent ni ne se voit : tout comme le taux de sucre dans le sang ou le taux d'acide urique, le pH de nos tissus (voir page 8) ne se manifeste clairement qu'en cas de dérèglement important. La marge de fluctuation normale étant assez large, les déséquilibres passent la plupart du temps complètement inaperçus. Aussi, à moins d'un problème métabolique grave, vous ne constaterez jamais aucun symptôme manifestement lié à votre rapport acides/bases. Les naturopathes sont cependant convaincus que même les écarts minimes par rapport à la norme, ce qu'ils appellent des « déséquilibres latents », peuvent provoquer à la longue des troubles – souvent mal définis – et favoriser à terme la survenance de maladies chroniques telles que les rhumatismes ou la goutte.

Processus long

Symptômes généraux

Lorsqu'ils persistent, l'abattement et la fatigue peuvent laisser penser à l'existence d'un problème métabolique. Presque tous les dysfonctionnements du métabolisme ont pour origine une hyperacidité chronique de longue date. Les affections chroniques, telles que les rhumatismes ou la goutte, les troubles conjonctifs inflammatoires (collagénose), les inflammations persistantes, les suppurations, les troubles circulatoires (mains et pieds froids, migraines) sont autant de signes possibles d'un dysfonctionnement du métabolisme. Citons également le prurigo, les troubles gastro-intestinaux chroniques et les infections fongiques. Même les attaques et les infarctus peuvent être dus à une hyperacidité chronique de longue date. À la longue, les os s'affaiblissent en raison de la décalcification, le teint devient terne ou altéré par les inflammations et les cheveux perdent leur vitalité et peuvent même tomber.

Beaucoup de maladies graves

L'intestin souvent en cause

La cause originelle se trouve souvent dans l'intestin (voir page 22). Les troubles intestinaux peuvent se manifester par des symptômes très divers :

Troubles fréquemment constatés

- ballonnements
- constipation
- diarrhées
- brûlures d'estomac, vomissements
- aigreurs
- hoquet
- gastrites
- hémorroïdes, fissures anales
- symptômes d'auto-intoxication, maux de tête, douleurs dans les membres ou infections récurrentes

Aides au diagnostic

Pour les personnes inexpérimentées, il est difficile de reconnaître une hyperacidité chronique au vu de symptômes physiques. Les listes ci-après vous aideront à vous faire une idée plus précise de l'état de fonctionnement de votre métabolisme.

Liste 1

Les affections suivantes sont considérées par les naturopathes comme souvent liée à un déséquilibre du rapport acides/bases :

Affections

- goutte
- allergies
- calcification des artères
- diabète insulinodépendant
- ostéoporose
- migraines
- rhumatismes
- prurigo
- infarctus
- cancer
- calculs biliaires/rénaux
- ulcères gastro-intestinaux
- fibromyalgie

Liste 2

Les troubles suivants sont considérés comme étant liés à une hyperacidité chronique :

Symptômes d'hyperacidité chronique

- système immunitaire affaibli, refroidissements continuels ou infections opiniâtres
- ongles cassants ou mycose des ongles
- cheveux cassants et ternes ou chutes capillaires
- teint blême, inflammations cutanées chroniques ou suppurations
- démangeaisons chroniques ou urticaire
- caries dentaires, saignements chroniques des gencives ou parodontite
- troubles digestifs avec paresse intestinale ou irritation chronique de l'intestin avec ballonnements
- renvois acides ou inflammations de la muqueuse gastrique
- infections aux levures dans la bouche ou le tube digestif
- pieds et mains tout le temps froids ou migraines
- durcissements ou raideurs musculaires, notamment dans la région de la nuque, des épaules et du dos
- système nerveux facilement surmené, grande irritabilité, faible résistance à l'effort, manque de ressort
- grande sensibilité de la peau et du corps à la douleur, douleurs chroniques pour lesquelles l'examen médical ne révèle aucune cause précise

D'abord le pH urinaire

Si vous pensez souffrir d'une affection ou de troubles pouvant être liés à l'hyperacidité, il vous est recommandé de procéder à des contrôles ponctuels de votre pH urinaire au cours d'une journée type (voir page 17).

Établissez votre profil journalier

Pour établir votre profil acido-basique journalier (voir page 17), testez votre pH urinaire sept fois au cours d'une journée type au moyen de bandelettes de papier réactif et consignez les résultats sous forme de diagramme.

Tenez-vous si possible aux horaires suivants : 07h00, 10h00, 12h00, 15h00, 18h00, 20h00 et 22h00, tout en sachant qu'une marge de manœuvre est admise en fonction de l'heure à laquelle vous prenez vos repas. Recopiez le diagramme ci-dessous et notez-y les résultats obtenus. Regardez où se situe votre courbe par rapport à la zone jaune représentant la marge de fluctuation en dehors de laquelle il ne faudrait pas se trouver. Si elle s'en écarte nettement, cela signifie qu'il est temps de faire quelque chose pour votre rapport acides/bases. Vous verrez, c'est beaucoup plus facile qu'il n'y paraît au premier abord !

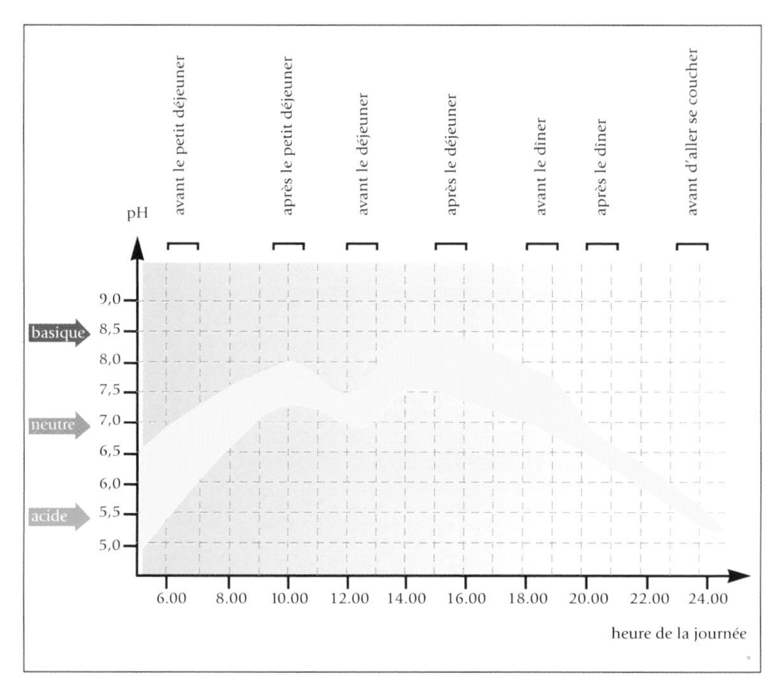

Consignez vos résultats dans le diagramme

Deuxième étape – la réforme

Pour que votre organisme retrouve un rapport équilibré entre acides et bases, il va vous falloir faire des efforts sur deux fronts : votre façon de vous nourrir et votre mode de vie. L'alimentation est, de tous les facteurs extérieurs, celui qui influe le plus sur l'équilibre acido-basique. C'est pourquoi vous devrez vous interroger sur vos habitudes alimentaires et comparez ce que vous mangez d'ordinaire avec les produits recommandés. Soyez honnête avec vous-même et ne croyez pas qu'en fermant les yeux sur les gourmandises, votre corps ne s'en apercevra pas.

Alimentation et mode de vie

Changer de régime alimentaire représente toutefois un bouleversement pour le métabolisme. Aussi pour éviter les réactions de rejet, allez-y progressivement. Si les changements par rapport à vos habitudes vous paraissent trop importants, parlez-en d'abord à votre médecin ou à votre thérapeute.
Préparez votre organisme à ce changement important en lui accordant un jour de mise au repos (voir page 84).

Composition d'un repas basique

Le plus important : la fraîcheur

Un repas basique se compose principalement de fruits et de légumes frais préparés dans le respects de leurs qualités nutritives. Il doit être riche en sels minéraux, en oligo-éléments, en vitamines et en acides gras insaturés. Les produits acidifiants tels que la viande, le poisson, les œufs, le fromage ou les céréales (voir tables pages 41 et suivantes) peuvent et doivent bien sûr être consommés, mais dans une juste proportion. Les personnes qui, pour des raisons d'ordre médical ou éthique, ne mangent aucun produit d'origine animale doivent impérativement veiller à avoir un apport renforcé en protéines végétales. L'amarante, la « céréale des Incas », constitue en cela une source appréciable, car elle est très riche en acides aminés essentiels. Les ca-

Attention !

Que vous optiez pour un régime mixte (produits d'origine animale aussi bien que végétale), pour un régime végétarien (produits d'origine végétale, produits laitiers et œufs), pour un régime lactovégétalien (produits d'origine végétale et produits laitiers) ou pour un régime végétalien (produit d'origine végétale uniquement) – veillez toujours à ce que votre corps reçoive les éléments essentiels dont il a besoin. En cas de doute, demandez conseil à votre médecin.

rences en acide folique sont un autre phénomène souvent constatés, notamment chez les femmes enceintes ayant une alimentation végétarienne. Cette vitamine indispensable au bon fonctionnement de l'organisme est présente dans les légumes verts, les fruits, le lait, le fromage, les œufs, la viande et la levure. Il appartient à chacun de choisir le régime alimentaire qui lui convient, mais encore faut-il conserver un bon équilibre acido-basique. Rien n'interdit donc de consommer des protéines animales, le tout étant de ne pas en abuser.

Attention durant la grossesse

Qu'est-ce que le régime dissocié ?

Ce régime mis au point par le médecin américain Howard Hay repose sur la consommation séparée des aliments protéiques et des aliments glucidiques afin d'utiliser les sucs digestifs de manière optimale. La digestion des protéines requiert en effet surtout des acides, tandis que celle des glucides nécessite plutôt des bases. Or l'organisme ne peut pas mettre les deux à disposition en même temps.
Le régime mixte habituel, riche en protéine, donne lieu à une production excessive d'acides, ce qui fatiguent notre organisme. À la longue la digestion ne se fait plus bien, ce qui provoque des phénomènes de fermentation dans l'intestin, qui eux-mêmes gênent le fonctionnement normal du tube digestif. Il s'ensuit des troubles gastro-intesti-

naux. Pour éviter cela, les partisans du régime dissocié préconisent de consommer protides et glucides séparément et en association uniquement avec des aliments neutres.

Facilite la digestion

Une autre excellente règle du régime dissociée consiste à manger beaucoup de protéines à midi, heure à laquelle l'estomac peut être fortement sollicité, et de réserver les glucides, beaucoup plus digestes, pour le repas du soir. De manière générale, le régime dissocié fait une place importante aux produits alcalinisants, puisqu'il prévoit que ceux-ci constituent 80 % de notre alimentation, contre 20 % pour les produits acidifiants (voir page 24).

Aliment contenant des protides ou se rapportant au métabolisme protéique :

Premier groupe

- viande, poisson
- fruits de mer cuits
- œufs, lait
- fromage avec au max. 50 % de matière grasse
- farine de soja, flocons de soja
- fruits à noyau, fruits à pépins, agrumes
- ananas, melons, tomates cuites
- vin et mousseux

Aliments contenant des glucides :

Deuxième groupe

- céréales (blé, seigle, épeautre, orge, avoine, etc.)
- blé noir (sarrasin)
- pommes de terre, topinambour
- chou frisé, salsifis noir
- banane, dattes, figues, fruits secs, pommes sucrées
- édulcorants, miel, amidon
- bière

Troisième groupe

Aliments neutres :

- Huiles et graisses pressées à froid
- produits laitier acides, comme le babeurre, le yaourt ou le lait fermenté
- fromage avec plus de 50 % de matière grasse, formage blanc
- viandes, poissons et charcuteries crus ou fumés
- salade verte, champignons et la plupart des légumes
- épices : sel aromatisé et sel marin, piment doux, noix de muscade, basilique, curry, fines herbes, vanille en gousse, anis, fenouil.

Voici comment combiner ces aliments :
Au cours d'un même repas, on ne mangera que des aliments contenant des protides combinés avec d'autres aliments protéiques et avec des aliments neutres (premier et troisième groupe) ou bien que des aliments contenant des glucides combinés avec d'autre aliments glucidiques et des aliments neutres (deuxième et troisième groupe).

Voici comment peuvent se composer vos repas :
Petit déjeuner : müesli avec des fruits (sauf banane, dattes et figues), pain complet ou pain suédois avec du beurre ou de la margarine, miel, fromage blanc aux herbes.
Déjeuner : salade verte en début de repas assaisonnée avec des herbes fraîches, de l'huile, du vinaigre de cidre, du citron et éventuellement du babeurre. Aliments protéiques, si possible d'une seule sorte de protéine, par ex. poisson ou viande, œuf ou fromage. Pas de pain ni de pâte, car ils contiennent des glucides. Pomme de terre en très petite quantité.
Goûter (au moins trois heures après le déjeuner) : pain beurré, fruits, yaourt, fromage blanc, lait.
Dîner : salade verte en début de repas, assaisonnée avec de l'huile, des herbes, du vinaigre de petit-lait à la place du vinaigre de cidre, de la crème fraîche ou du babeurre.

Mieux pour l'intestin

Si le régime dissocié ne vous tente pas, essayez au moins le soir d'éviter les combinaisons indigestes. Votre intestin vous en saura gré durant la nuit.

Manger en quelle quantité et combien de fois par jour ?

Trois repas par jour doivent normalement suffire. Le petit déjeuner peut être copieux et le déjeuner assez copieux, mais le dîner doit être léger. Il est très important de ne pas troubler le sommeil nocturne par des excès de table. En fonction de la constitution physique de chacun, il est possible de prendre un en-cas vers 10h00 et vers 15h00, mais il faut que ce soit juste assez pour caler une petite faim. Dans la matinée, vous pourrez donc prendre un fruit, comme par exemple une pomme, une banane ou du melon, et l'après-midi un jus ou un bouillon de légume, froid ou chaud, qui vous fera du bien sans gêner votre digestion.

Petits en-cas

Habituez-vous à respecter ces huit règles d'hygiène alimentaire

- Adaptez vos repas selon le programme de la journée et le rythme de travail.
- Prenez trois repas principaux par jour.
- Ne mangez pas plus que ce dont votre corps a réellement besoin
- Préparez vos repas en fonction de vos préférences et en cherchant à vous faire plaisir.
- Faites en sorte que votre repas soit agréable à regarder.
- Prenez vos repas dans le calme et la détente.
- Mâchez consciencieusement.
- Évitez les efforts physiques dans la demi-heure qui précède votre repas.

Que boire et en quelle quantité ?

Deux litres d'eau

Un adulte devrait boire normalement un litre et demi à deux litres d'eau minérale non gazeuse ou de tisanes de plantes par jour.
Il est préférable de ne pas trop boire pendant les repas, car une dilution trop importante du bol alimentaire dans l'estomac risque de gêner le bon déroulement de la digestion.

Ce que vous devez savoir au sujet de l'eau

Quatre types d'eaux

Selon la législation, la dénomination « eau minérale » s'applique aux eaux naturelles issues de nappes souterraines et présentant obligatoirement une certaine teneur garantie en sels minéraux et en oligo-éléments. On fait habituellement la distinction entre quatre types d'eaux minérales : l'eau minérale plate, l'eau minérale gazeuse mise en bouteille avec sa teneur naturelle en acide carbonique, l'eau minérale regazéifiée avec son propre acide carbonique avant la mise en bouteille et l'eau minérale gazéifiée avec de l'acide carbonique étranger. L'eau gazeuse est très agréable à boire et possède un pouvoir rafraîchissant incontestable, mais elle a pour inconvénient de produire un effet acidifiant sur l'organisme. En revanche, l'eau plate est alcalinisante. Aussi est-il dommage de gâcher cet effet positif par le rajout d'acide carbonique propre ou étranger. Étant donné l'importance de l'équilibre acido-basique dans le maintien de la santé, la question « plate ou gazeuse ? » ne peut se réduire à une simple affaire de goût. Pour le bien de votre organisme, ayez le réflexe de toujours préférer l'eau plate.

Les eaux minérales sont également classées en fonction de leur teneur en minéraux. On distingue alors les « eaux très peu minéralisées », « les eaux faiblement minéralisées » et les « eaux fortement minéralisées ». Si cela n'est pas indiqué clairement sur le devant de la bouteille, vous pouvez normalement en déduire qu'il s'agit d'une eau faiblement, voire très peu minéralisée.

Pour votre santé, préférez l'eau plate

Différentes teneurs en minéraux

L'eau de source est-elle aussi issue de nappes souterraines, mais ne doit pas obligatoirement présenter une teneur garantie en sels minéraux et en oligo-éléments.

L'eau de table peut provenir des canalisations ainsi que de stations de déminéralisation de l'eau mer ou des eaux salines. La mise en bouteille peut avoir lieu n'importe où et non pas obligatoirement à la source, comme pour l'eau minérale et l'eau de source.

Les eaux médicinales sont issues de nappes souterraines et contiennent naturellement des sels minéraux et des oligo-éléments possédant des vertus thérapeutiques. Une fois mises en bouteille, elles sont considérées comme des médicaments. Les indications et contre-indications, les effets secondaires et la posologie doivent figurer sur l'étiquette. Il est recommandé de ne pas les consommer de manière prolongée sans avis médical.

L'eau comme médicament

Ce que vous devez savoir sur le moût de pain

La préparation du jus de pain fermenté selon la méthode inventée par le maître boulanger allemand Wilhelm Kanne consiste à laisser fermenter du pain complet de blé, de seigle et d'avoine – obligatoirement issus de l'agriculture biologique – afin d'obtenir une boisson riche en acide lactique, en sels minéraux, en oligo-éléments et en vitamines. Le moût de pain, que l'on peut se procurer dans les magasin d'alimentation diététique, contient notamment du cuivre, du fer, du zinc, du calcium, du magnésium, du silicium, du sélénium, des vitamines E, B1, B2 et B12 ainsi que des acides aminées essentiels, dont les plus connus sont la niacine et l'acide folique. Ce breuvage possède un pH de 3,0, d'où son goût particulièrement acide.

Stimule l'organisme

Mais ne vous laissez pas arrêter par cette acidité apparente, car une fois avalé le moût de pain se transforme en base sous l'action du métabolisme. Il stimule l'organisme, régénère la flore intestinale, favorise la sécrétion des sucs digestifs et aide le corps à se détoxiquer, ce qui se traduit par un regain de vitalité. Il semblerait également que la présence de substances biologiques actives, telles que les acides aminés essentiels, les sels minéraux, les oligo-éléments, les vitamines et les ferments lactiques, favorise la régénération cellulaire.

Le moût pain peut s'avérer particulièrement utile aux personnes désireuses de réguler leur rapport acides/bases. Assurez-vous toutefois au préalable que vous n'êtes allergique à aucun des ingrédients entrant

Attention en cas d'allergie

dans sa composition ! Sachez également que, comme souvent lorsque l'on a recours à une méthode naturelle de guérison ou de détoxication, la consommation régulière de moût de pain peut s'accompagner d'une aggravation initiale des symptômes. Pour éviter ces désagréments, qui n'ont en soi rien d'inquiétant et découlent d'une réaction naturelle de l'organisme à l'élimination des résidus toxiques, il est recommandé de commencer très progressivement. Vous pourrez par exemple commencer par seulement 10 ml de moût de pain trois fois par jour, dilués dans la même quantité d'eau plate, et passer progressivement à 50 ml, puis à 100 ml, d'abord dilués, puis ensuite purs.

Augmenter progressivement les doses

Attentions aux allergies alimentaires

Vous allez désormais devoir éliminer de votre alimentation les produits auxquels vous êtes allergiques. Si vous pensez déjà mal supporter certains aliments, auxquels vous réagissez par des diarrhées, des boutons, de l'eczéma ou tout simplement un sentiment de gêne, demandez à votre médecin de vous prescrire un test d'allergie. Cela est particulièrement important, car la présence fréquente d'un même agent allergène dans l'intestin risque de détériorer durablement votre flore intestinal (voir page 22) et de surmener inutilement votre système immunitaire. Les allergies les plus fréquentes concernent les protéines de lait, le blé, les noix, les carottes et le céleri. En cas d'allergie aux protéines lactiques, songez qu'il ne faut pas seulement éviter le lait et tous les produits laitiers, comme le yaourt, le fromage ou la glace, mais aussi les crêpes, la purée de pomme de terre, la mayonnaise, les sauces, le ketchup, les pâtisseries, le chocolat, les confiseries et la charcuterie.

Intolérance pas seulement aux colorants

Les intolérances aux additifs, comme les agents de conservation, les colorants ou les arômes artificiels, sont également de plus en plus fréquentes. Mais étant donné que les aliments devant désormais figurer à votre menu seront toujours frais (voir page 44) et exempts d'additifs, les allergènes seront normalement amenées à jouer un rôle de moins en moins important dans votre vie.

Ce qui est frais n'a pas besoin d'additifs

Changer son mode de vie

L'importance des facteurs purement physiologiques concernant l'équilibre acido-basique ne doit pas nous faire perdre de vue le rôle essentiel joué par les facteurs psychiques, car notre corps et notre esprit forment un tout indissociable et il est impossible de considérer l'un sans envisager l'autre.

Les bienfaits de la relaxation

L'alimentation la plus équilibrée et la plus saine ne sert pas à grand-chose lorsque le stress et le surmenage sollicitent continuellement les systèmes de régulation de l'organisme. Pour vivre en harmonie avec soi-même, il est indispensable d'apprendre à reconnaître les impasses et les voies à sens unique dans lesquelles nous laissons trop souvent errer nos pensées. Cela ne veut pas dire qu'il faille refouler pour autant nos angoisses et nos colères, mais au contraire que nous nous débarrassions réellement des peurs cachées que nous avons soi-disant surmontées et qui sapent en fait notre force vitale. C'est pourquoi nous devons essayer de reconnaître et de comprendre notre part de négativité afin de l'empêcher de prendre totalement possession de nous.

Connaître sa part de négativité...

Chercher la cause de nos sentiments négatifs, c'est déjà nous positionner de manière positive par rapport à eux. En les expulsant progressivement, nous parviendrons à un état de sérénité sans lequel aucun équilibre n'est possible. Il est donc primordial de chasser de soi les rancœurs et les ressentiments, car sinon ils finiront par éclater et provoquer une crise destructrice. N'hésitez pas à exprimer votre désarroi et votre colère lorsque vous sentez que cela s'impose.

Interrogez-vous sur les situations qui vous paraissent particulièrement pénibles ou qui font que vous vous sentez mal dans votre peau. Reposez-vous suffisamment et apprenez à vous détendre (voir page 75), surtout dans les moments de stress, car sinon vos efforts en vue d'atteindre l'équilibre acido-basique ne pourront jamais être couronnés de succès. Songez à la façon de résoudre les situations conflictuelles et demandez-vous comment surmonter vos difficultés et s'il ne serait pas préférable d'en parler à quelqu'un. Si vous avez le sentiment de ne pas voir le bout du tunnel et que tout vous pèse, n'hésitez pas à vous

adresser à un psychothérapeute ou à un médecin qui saura vous orienter vers une personnes compétente.
Certaines techniques de relaxation, comme le training autogène, le yoga ou la méditation peuvent se pratiquer seul à l'aide de livres spécialisés (voire bibliographie, page 92) ou à plusieurs avec un professeur. Si vous habitez en ville, l'offre y est généralement assez importante dans ce domaine.

Les bienfaits de l'exercice

Trouvez la paix intérieure, chasser le stress

Faites-vous suffisamment d'exercice ? Le sport et les activités physiques n'aident pas seulement à accroître son bien-être physique, mais aussi son bien-être psychique. Courir à son travail, monter les escaliers quatre à quatre ou déplacer des objets lourds ne peuvent à cet égard pas être pris en considération, bien au contraire – car, ce faisant, on cède tout simplement au stress de la vie quotidienne !

Faire de l'exercice au moins trois fois par semaine

Arrangez-vous pour stimuler votre métabolisme au moins trois fois par semaine en faisant, par exemple, une grande promenade à pieds ou un tour en vélo, en allant à la piscine ou en soulevant des poids dans une salle de musculation. Choisissez une activité suffisamment motivante pour vous apporter à la fois plaisir et décontraction (voir page 85).

Alimentation – la cure de 8 jours

Si, en testant votre pH urinaire à l'aide de bandelettes de papier réactif, vous avez constaté que votre rapport acides/bases n'est pas aussi équilibré qu'il devrait l'être, à savoir qu'il ne coïncide pas avec la zone jaune du diagramme (voir page 17), la cure de huit jours décrite ci-après va vous permettre, maintenant que vous vous êtes familiarisé(e) avec les principes théoriques, de prendre correctement soin aussi bien de votre corps que de votre esprit. Pour retrouver rapidement votre équilibre acido-basique, donnez durant cette période la priorité à tout ce qui peut vous faire du bien. Dès la fin de la cure, vous remarquerez certainement les premiers signes d'amélioration.

Prenez soin de vous

Le changement le plus important par rapport à vos habitudes concernera sans doute l'alimentation. Les tables des pages 41 et suivantes ont toutefois une valeur avant tout indicative. Aussi ne vous sentez pas obligé(e), une fois la cure terminée, de les respecter à la lettre, car prendre plaisir à ce que l'on mange constitue aussi un facteur important pour la bonne assimilation des aliments. Parallèlement, il vous faudra songer à apporter à votre mode de vie des changements durable pour le bien de votre corps et de votre esprit.

Alimentation et mode de vie

L'alimentation

Afin que vos organes digestifs ne soient pas obligés de s'adapter trop brusquement à la nouvelle situation, accordez si possible à votre organisme un jour de mise au repos avant de commencer la cure (voir page 84). Après cela, vous devrez observer les règles alimentaires permettant de retrouver et de conserver l'équilibre acido-basique.

D'abord un jour de mise au repos

Préparation des aliments

Veillez à ce que tous les produits alimentaires que vous consommez soient vivants et non pas morts.

À ce sujet, le mode de cuisson des légumes et des fruits joue un rôle fondamental, car ceux-ci contiennent beaucoup de sels minéraux et d'oligo-éléments, tels que le calcium, le magnésium, le fer, le phosphore, le sodium, le potassium ou le sélénium, qu'il est important de préserver. D'autres éléments essentiels tels que les vitamines, les enzymes, les huiles

Préserver les minéraux et les vitamines

volatiles et les acides gras insaturés, sont également très sensibles à la chaleur et doivent être traités en conséquence.

De fait, il y a cuire et cuire. La meilleure façon de préserver les nutriments et les vitamines contenu dans un produit frais est d'amener rapidement celui-ci à température de cuisson et de le laisser ensuite cuire à température moyenne et constante. Une cuisson trop longue ou trop forte fait à coup sûr perdre à l'aliment une grande partie de ses qualités nutritives. Malheureusement, l'usage généralisé des cuisinières électriques et notamment celui des plaques de cuisson ultramoderne, au pouvoir calorifique excessif, ne permet plus vraiment de laisser mijoter les plats comme autrefois.

Une cuisine saine avec le wok

À ce titre, la cuisine au gaz est plus respectueuse des aliments, car elle permet de régler beaucoup plus rapidement et avec une plus grande précision la température de cuisson. L'une des meilleures façon de cuire les aliments au gaz est d'utiliser un wok chinois. En raison de la propagation rapide de la chaleur dans le fond de la poêle, le temps de cuisson est très court et les pertes en minéraux et vitamines limitées.

Pas de micro-ondes

Le four micro-ondes est en revanche à déconseiller, car ce mode de cuisson, en produisant une température élevée au cœur de l'aliment, en détruit la structure cellulaire. Le micro-onde anéantit également les huiles volatiles contenues dans les épices et les herbes, qui donnent aux plats leur odeur et leur goût et les rend plus digestes. Pour conserver à votre corps toute sa vitalité, il est donc primordial de prendre soin des aliments que vous consommez.

Aliments acidifiants et aliments alcalinisants

Peu d'aliments sont neutres

Un certain nombre d'aliments communément consommés ne posent aucun problème au moment de leur transformation par l'organisme et n'interviennent pas dans le rapport acides/base. Ces produits neutres sont, par exemple, l'eau minérale plate, les huiles de première pression à froid, le beurre frais, les noix fraîches, les amandes, les haricots verts et le millet. Cependant, la plupart des aliments sont transformés par le métabolisme soit en acides soit en base et ont donc un effet soit acidifiant soit alcalinisant sur l'organisme.

Tables acido-basiques

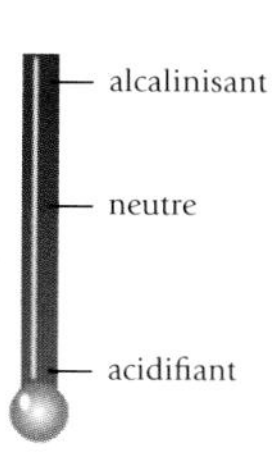

Ces listes d'aliments classés par catégorie et selon leur action plus ou moins acidifiante ou alcalinisante sur l'organisme vont vous aider, lors de l'élaboration de vos repas, à respecter la règle de 80/20. Les produits situés dans le bleu sont considérés comme alcalinisants, tandis que ceux qui se trouvent dans le rouge comme plutôt acidifiants.

Légumes, champignons, légumineuses

graine germées	herbes
épinards, crus	haricots blancs, secs
betterave	poireau
carottes	pommes de terre
cornichon, frais	mâche
chou-rave	salade verte
courgette	rhubarbe
endive	haricots, frais
chou-fleur	girolles
brocoli	cèpes
petits radis	radis blanc
choucroute	tomates
aubergines	chou blanc, chou rouge
petits pois, frais	épinards, cuits
courge	champignons de Paris
poivron	chou frisé
chou de Milan	raifort
petits pois, secs	oignons, ail
maïs	artichauts
lentilles	choux de Bruxelles

Noix, graines

graines de tournesol	cerneaux de noix
marrons	graines de courge
noix de cajou	pistaches, amandes
noisettes	graines de sésame
graines de lin	cacahuètes

Alimentation – la cure de huit jours

Viandes, poissons

oie	mouton
canard	dinde
jambon	porc
lièvre	lapin
dindon	poisson
chevreuil	bœuf
veau	poulet, poule, coq

Lait et produits laitiers, œufs

lait frais, lait de soja	crème, non chauffée
petit-lait	yaourt
babeurre	beurre de crème douce
jaune d'œuf	crème longue
lait fermenté	conservation
lait longue conservation	emmental
cottage cheese	parmesan
produit laitiers acides	camembert
(crème aigre, lait caillé,	fromages de chèvre et de
crème fraîche)	brebis
fromage blanc	mozzarelle
œuf entier	fromage à tartiner

Céréales et produits céréaliers

farine de soja	pumpernickel
amarante	tofu
farine de gruau (fine fleur)	millet
épeautre	flocons de maïs
produits complets	pain complet
amidon de maïs	pain au son
orge	biscuits, blancs
pain noir	pain suédois
blé, débarrassé	pain blanc
de son enveloppe	semoule de blé
flocons d'avoine	pâtes, riz

Fruits

fruits secs	avocat
pomelo, pamplemousse	groseilles à maquereau
citron, orange, mandarine	raisin
ananas	abricot
banane, mûre	groseilles rouges, mûres
framboises	cassis, myrtilles
kiwi	melon
mangue	quetsches
cerises	mirabelles
poire, pomme	fraises

Boissons

thé, bien infusé (au	alcools
moins quatre minutes)	tisanes
ersatz de café à base	eau minérale non gazeuse
de céréales	vin, sec
bière	eau minérale gazeuse
café	limonade, sodas,
thé, peu infusé (moins de	boissons à base de Cola,
quatre minutes)	etc.

Autres

levure de boulanger,	miel (véritable miel
levure de bière	d'abeille)
sucre de canne	sauce soja
sirop de poire	jus d'argousier

Bien se nourrir

Pour obtenir un rapport acides/bases équilibré, il n'est pas nécessaire de manger uniquement des aliments alcalinisants. Du moment qu'ils ne représentent pas plus de 20% de votre alimentation, rien ne vous empêche de continuer à consommer des produits acidifiants, tels que la viande , les œufs ou les céréales. Vous pouvez aussi boire une tasse de café de temps à autre sans que votre organisme se trouve menacé d'hyperacidité. Si, à côté de ces petits « pêchers mignons », vous faites en sorte de toujours bénéficier d'un apport suffisant en bases et que vous menez une vie saine et calme, votre pH urinaire devrait normalement indiquer un rapport acides/bases équilibré.

Ne pas oublier la règle des 80 pour 20

Testez votre urine

La consommation régulière de produits tels que le café, le thé, les confiseries, les pâtisseries, les boissons sucrées ou la charcuterie est bien entendu incompatible avec une alimentation saine et équilibrée. L'expérience a toutefois montré qu'il valait mieux respecter la règle des 80 pour 20 sur le long terme, c'est à dire toujours donner la priorité aux aliments alcalinisants, plutôt que se priver systématiquement de tout ce dont on a envie, car cette dernière méthode, si elle peut porter ses fruits sur le court terme, est généralement vouée l'échec au bout d'un moment.

La fraîcheur est un atout

La teneur des aliments en sels minéraux, en oligo-éléments et en vitamines dépend de la qualité du produit et de la façon dont il est préparé et conservé. Dans tous les cas la fraîcheur est un atout ! Autrement, parmi les aliments alcalinisants, seuls les fruits secs et les légumes lacto-fermentés conservent pour ainsi dire toutes leurs valeurs nutritives. Achetez toujours vos fruits et vos légumes dans les magasins ou sur les marchés bio et assurez-vous qu'ils ne viennent pas de trop loin, car ils supportent mal le stockage pendant plusieurs jours, voire plusieurs semaines dans des caisses ainsi que le transport par bateau ou par avion. Aussi, achetez toujours des fruits et des légumes de saison et consommez-les le plus vite possible. Évitez par ailleurs de trop laver les légumes et, une fois préparés, ne les laissez pas exposés trop longtemps à l'air et à la lumière, car c'est le meilleur moyen leur faire perdre leurs minéraux et leurs vitamines.

Pas de conserve

Le moins de transport possible

Manger selon la saison

En hiver, moins de fruits...

À chaque saison correspond une cuisine différente. D'ailleurs notre corps semble parfaitement adapté à ce rythme. Nous digérons par exemple mois bien les fruits durant les périodes froides qu'en été – et nous avons par conséquent beaucoup moins envie d'en manger.
Les légumes d'hiver (chou frisé, chou-fleur, mâche, poireau, oignon, céleri, pour n'en citer que quelques-uns) nous semblent particulièrement bons en leur saison. En raison de sa teneur élevée en nitrates, la salade cultivée sous serre durant les périodes sombres de l'année est en revanche plutôt déconseillée. Si vous tenez vraiment à en manger, ne consommez que les parties vertes la feuille, car les parties blanches sont particulièrement contaminées. Les graines germées et les jeunes pousses, très riches en vitamines, constituent en hiver une bonne solution de rechange et favorisent l'équilibre acido-basique. Elles sont de plus très facile à cultiver chez soi. Voici comment s'y prendre.

... seulement les parties vertes de la salade

... mais plus de graines germées

Pousses et graines germées : excellentes pour la santé

Quoi de plus amusant que de regarder germer des graines ? Surtout lorsque l'on sait qu'on peut ensuite les manger et en tirer quantité de vitamines et de sels minéraux. Les pousses et les graines germées contiennent des fibres, du sucre et de l'amidon peu soluble qui se dégrade lentement durant la digestion. Leur teneur en vitamines et en minéraux augmentent considérablement à mesure que le germe croît.
Hormis les pois chiches et les haricots mungo (soja vert), toutes les graines germées doivent être consommées crues pour délivrer toutes leurs qualités nutritives.

Concentrés d'énergie

Utiliser un germoir

Parmi les germoirs que l'on trouve dans le commerce, ceux qui se composent de trois coupelles superposées sont les plus utiles, car ils permettent de cultiver différentes sortes de semences à plusieurs stades de germination. Après chaque usage, il convient de nettoyer soigneusement les coupelles afin d'empêcher les champignons et les bactéries de proliférer dans leurs sillons.
Conseil : les graines de radis, que vous pouvez faire germer dans la

Nettoyer à chaque fois

coupelle du dessus, tuent les bactéries et les champignon et ont un effet désinfectant sur l'ensemble du germoir.

Se faire son propre germoir
La façon la plus facile et la meilleure marché de faire germer des graines est de les mettre dans un bocal en verre recouvert d'une gaze fixée au moyen d'un élastique. Il faut tout d'abord mettre les graines à tremper dans de l'eau un peu tiède pendant six à douze heures. Couvrez ensuite le bocal avec la gaze et faites s'écouler l'eau afin qu'il n'en reste plus une goutte. Rincez les graines deux ou trois fois par jour à l'eau claire en veillant à chaque fois à bien évacuer toute le liquide.

Ne pas laissez stagner l'eau

Petit choix de graines à germer
Les végétaux dont les semences sont le plus souvent employées sont les suivants : blé tendre, courge, cresson, alfalfa (luzerne cultivée), tournesol, lin, pois chiches, haricots azukis (petits-rouges), sésame, lentilles, millet, fenugrec, moutarde, haricots mungo (soja vert), avoine, sarrasin, seigle, orge, petits pois.

Alfalfa (luzerne cultivé)

Beaucoup de vitamines et de minéraux

La luzerne est la reine des graines germée. Elle est particulièrement riche en vitamines C et E et minéraux tels que phosphore, fer, calcium, magnésium, potassium ou sélénium.

Attention !

Si vous vous êtes toujours nourri(e) d'aliments pauvres en fibres, habituez votre corps progressivement aux graines germées, car l'intestin doit d'abord apprendre à les désagréger.

Sarrasin (blé noir)
Le sarrasin est riche en amidon, en protéines, en vitamines du groupe B, en niacine et en minéraux tels que potassium, phosphore, magnésium ou fer. Les graines produisent beaucoup de matière visqueuse et doivent être rincées souvent.

Cresson
Le cresson est riche en vitamines A, B et C, en niacine et en minéraux tels que potassium, calcium, fer ou phosphore. Les graines de cresson produisent énormément de matière visqueuse et ne peuvent être cultivées que dans un véritable germoir (en vente dans les magasins d'alimentation diététique).

Germoir indispensable

Lentilles
Ces petites légumineuses sont riches en vitamines A et B ainsi qu'en niacine. En plus du potas-

sium, du fer et du phosphore, elles contiennent aussi des protéines végétales très intéressantes. Pour la germination, choisissez de préférence des petites lentilles, car les grosses ont tendance à se couvrir de moisissure.

Risques de moisissure

Haricot mungo (soja vert)
Cette variété de soja est riche en vitamines A, E et B et en minéraux tels que fer, phosphore, potassium, magnésium ou calcium. Comme elle contient naturellement à l'état cru une petite quantité de substance toxique, il est indispensable de la faire cuire 3 à 4 mn avant de la consommer.

Blanchir avant consommation

Radis
Les graines de radis contiennent beaucoup de vitamines du groupe B et de vitamine C ainsi que de la niacine et des minéraux tels que potassium, calcium, fer ou sodium. Elles possèdent des propriétés désinfectantes et antifongiques.

Goût vite trop relevé

Blé tendre
À l'état germinal, le blé est sucré. Il contient des vitamines du groupe B, des vitamines A et E, de la niacine et des minéraux tels que fer, phosphore, potassium ou calcium. Les graines germées ont facilement tendance à se couvrir de bactérie et de champignons.

À consommer rapidement

Germination dans un pot en verre : idéal pour essayer

Les recettes ci-après…

Les recettes ci-après sont destinées à vous inspirer durant votre cure de 8 jours. Aussi, rien ne vous empêche de les adapter à votre goût et en fonction des saisons, le principal étant de toujours respecter la règle des 80 pour 20. Pour cela, aidez-vous des tables figurant aux pages 41 et suivantes.

Huit jours de plaisir basique

Premier jour

Vous venez d'accorder un jour de repos à votre organisme. Votre cure de huit jours peut donc commencer. N'ayez aucune inquiétude – chaque jour vous apportera de nouveaux plaisirs.
Vous commencerez la journée par un bon müesli aux fruits qui vous calera pour toute la matinée. Si vous n'aimez pas les céréales, vous trouverez de délicieuses recettes de pain aux pages 50 et 60. Mais que faire s'il vous vient quand même une petite faim avant le repas de midi ? Aucun problème ; il vous suffira de remplacer le chocolat, les gâteaux ou les biscuits par des fruits. Veillez toutefois à ce que ceux-ci soient suffisamment mûrs et, si vous en manger plusieurs, qu'ils appartiennent à une seule et même espèce.
Trois règles sont primordiales : prendre le temps de manger à son aise, manger à sa faim mais sans excès et mastiquer consciencieusement.

Petit déjeuner

Müesli aux fruits
Pour deux personnes
2 c. à soupe de graines de tournesol • 1 c. à soupe de raisins secs non sulfatés • 1 poire mûre • 1 banane mûre • 3 c. à soupe de crème ou de yaourt • 2 c. à soupe de flocons de maïs • 2 c. à soupe de sarrasin soufflé • sirop de poire à volonté pour sucrer

Mettez les graines de tournesol et les raisins secs à tremper dans un peu d'eau la veille au soir. Le matin, lavez les poires, épluchez les bananes et coupez le tout en petits dés. Versez les graines et les morceaux de fruits dans un grand bol, ajoutez la crème ou le yaourt et mélangez. Saupoudrez de flocons de maïs ou de grains de sarrasin soufflés et sucrez à volonté avec le sirop de poire.
● Conseil : buvez un verre d'eau minérale plate avant de prendre votre petit déjeuner afin de réveiller votre estomac et de stimuler votre digestion.

Déjeuner

Gratin de chou-fleur aux pommes de terre
Pour quatre personnes (photo)

4-5 pommes de terre moyennes ne se défaisant pas à la cuisson • 1 chou-fleur moyen • 1 l de bouillon de légumes • 2 jaunes d'œuf • 125 g de crème • 2 c. à soupe de parmesan râpé • sel • poivre • 1 pincée de noix de muscade • 1/2 bouquet de persil • beurre pour graisser le plat

Brossez les pommes de terres et faites cuire dans beaucoup d'eau salée. Rincez, pelez et maintenez au chaud. Séparez les rosettes du chou-fleur, lavez et faites cuire pendant env. 10 mn dans le bouillon de légumes jusqu'à ce qu'ils deviennent croquants. Graissez un plat à gratin. Coupez les pommes de terre en deux et disposez-les dans le plat avec les morceaux de chou-fleur. Versez 1/2 tasse de bouillon dans le plat. Mélangez jaunes d'œuf, crème, parmesan, sel, poivre et noix de muscade et versez par-dessus les légumes. Mettez le plat au four (au milieu), réglez la thermostat sur 200 °C (180 °C avec chaleur tournante) et laissez cuire pendant 12 minutes, jusqu'à ce que le dessus prenne une teinte dorée. Lavez le persil, hachez fin et saupoudrez sur le gratin.

● Conseil : une fois le gratin cuit, ce qui reste du bouillon de légumes ne contient pas seulement les minéraux d'origine, mais également une partie des nutriments échappés du chou-fleur. Recueillez-le et buvez-le avant ou après manger.

Mâche aux noix
Pour quatre personnes
200 g de mâche • 6-8 cerneaux de noix • 1 gros oignon • 2 c. à soupe de vinaigre de cidre • sel • poivre • 2 c. à soupe d'huile de noix pressée à froid

Lavez et égouttez la salade et. Hachez les cerneaux de noix. Épluchez et hachez l'oignon. Mélangez le vinaigre, le sel et le poivre jusqu'à dissolution complète du sel, puis ajoutez l'huile et émulsionnez. Mélangez ensuite la salade et l'oignon, puis versez la vinaigrette et mélanger encore une fois. Saupoudrez le tout avec les noix hachées.

Dîner

Votre premier jour doit impérativement se terminer par la soupe ci-après. Les autres plats peuvent en revanche très bien être remplacés par d'autres.

Soupe de tomates
Pour 4 personnes
1 kg de tomates • 1 oignon • 2 c. à soupe d'huile d'olive pressée à froid • sel • poivre • 1 c. à soupe d'herbes de Provence • 2 tranches de pain complet pour toasts • 1 c. à soupe de beurre • 2 c. à soupe de crème aigre ou de crème fraîche • 1 c. à soupe de ciboulette hachée

Lavez les tomates, retirez la base des queues et coupez la chair en morceaux grossiers. Épluchez et hachez les oignons. Faites chauffer l'huile d'olive et faites blondir les oignons. Ajoutez les morceaux de tomate et assaisonnez avec le sel, le poivre et les herbes de Provence. Laissez mijoter pendant 10 minutes. Passez le tout au tamis en écrasant les morceau avec une cuiller. Coupez les tranches de pain en petits carrés et faites les blondir à la poêle dans du beurre jusqu'à ce qu'ils soient croustillants. Réchauffez la soupe et ajoutez-y la crème ainsi qu'un peu de sucre et de vinaigre si vous voulez lui donner plus de goût. Servez et saupoudrez avec les croûtons et la ciboulette.

Deuxième jour

Pensiez-vous qu'il était possible de se régaler autant en mangeant principalement des aliments alcalinisants ? Aujourd'hui, nous poursuivrons avec des légumes de terroir, notamment de la betterave et du chou-fleur, tous deux particulièrement riches en minéraux basiques.

Petit déjeuner

Müesli énergisant
Pour deux personnes
1 pomme sucrée • 1 c. à café de raisins secs ayant trempé toute une nuit • 2 c. à soupe de grains de blé tendre germés • 2 c. à soupe de grains de sarrasin germés • 1 c. à café de graines de lin égrugées • 1 c. à café de jus de citron • 1 c. à café de jus d'argousier • 3 c. à soupe de lait fermenté ou de yaourt

Lavez la pommes, retirez le trognon et coupez en petit dés. Mélangez tous les ingrédients ensembles

● Conseil : à la place du sarrasin germé, vous pouvez utiliser des graines d'avoine ou de seigle germées. Si vous n'êtes pas très müesli le matin, voici une solution de rechange tout aussi délicieuse : les tartines de pain d'épeautre à la crème d'avocat. Coupez un avocat en deux, retirez le noyau, ôtez la peau et écrasez la chair avec une fourchette. Hachez *1/2* oignon et 1 c. à soupe de ciboulette, incorporez à l'avocat et mélangez le tout en ajoutant 1 c. à café d'huile d'olive et une pincée de sel et de poivre. Beurrez deux tranches de pain d'épeautre par personne et tartinez avec la crème d'avocat.

● Conseil : mettez le restant de la crème d'avocat avec le noyau dans une boîte en plastique hermétiquement fermée afin qu'elle se garde jusqu'au soir sans noircir et reste appétissante.

Déjeuner

Soufflé aux légumes et au sarrasin
Pour 2 personnes
110 g de sarrasin • 1 feuille de laurier • 1/2 l de bouillon de légumes • 1 oignon • 100 g de champignons de Paris • 1 carotte • 1/2 céleri rave • 1 tige de poireau • 1 petite gousse d'ail • 1 c. à soupe d'huile d'olive • 1 c. à soupe persil haché • sel • poivre • 1 pincée de thym • 50 g de fromage à pâte dure • 4 c. à soupe de crème aigre • 1 jaune œuf • beurre pour graisser le plat

Mettez le sarrasin et la feuille de laurier dans le bouillon de légumes en train de cuire et laissez gonfler pendant 20 minutes. Entre-temps, épluchez et hachez les oignons. Nettoyez les champignons à l'aide d'un torchon humide et coupez en lamelles. Nettoyez et râpez la carotte. Épluchez le céleri rave et coupez en petits dés. Coupez le poireau en deux dans le sens de la longueur, lavez et coupez en demi-cercles. Épluchez l'ail. Faites chauffer l'huile et faites blondir l'oignon. Ajoutez-y les légumes, les champignons et l'ail pressé. Assaisonnez avec le persil, le sel, le poivre et le thym. Laissez cuire jusqu'à évaporation complète du jus. Laissez refroidir le mélange de légumes. Râpez le fromage et mélangez-en la moitié avec la crème aigre et le jaune d'œuf afin de lier les légumes. Incorporez le sarrasin et versez le tout dans un plat graissé. Saupoudrez avec ce qui reste du fromage. Mettez dans le four (au milieu), réglez le thermostat sur 220 °C (200 °C avec chaleur tournante) et laissez cuire pendant 15-20 minutes, jusqu'à ce que le dessus prenne une teinte dorée.

Salade de betterave aux lentilles germées
Pour 2 personnes
1 petite betterave (env. 200 g) • 2 c. à soupe d'huile végétale pressée à froid • 1/2 tasse de lentilles germées • 1 petit oignon • sel • poivre • 1 c. à soupe de vinaigre de cidre • 1 c. à soupe d'huile de noix

Épluchez la betterave et râpez-la grossièrement. Faites chauffer l'huile dans une casserole et faites suer la betterave à feu doux. Ajoutez les lentilles germées et laissez mijoter le tout pendant encore 2 minutes. Retirez du feu et laissez refroidir. Épluchez et hachez les oignons et ajoutez au mélange betterave/lentilles. Mélangez le sel, le poivre et le vinaigre, ajoutez l'huile de noix, émulsionnez. Incorporez la vinaigrette dans la salade et laissez mariner.

Dîner

Soupe de chou-fleur et gaufres de pain
Pour 4 personnes
Pour la soupe :
1 petit chou-fleur (env. 200 g) • 1/2 l de bouillon de légumes • 1 c. à soupe de beurre • 1 c. à soupe de farine de blé complet • 1 c. à soupe de persil haché • sel • poivre • noix de muscade fraîchement râpée

Pour les gaufres de pain :
2 c. à soupe à d'amarante • 2 c. à soupe de sarrasin • 2 c. à soupe d'épeautre • 1 c. à soupe de graines de tournesol • sel • graisse pour le gaufrier

Nettoyez le chou-fleur pour la soupe, séparez les rosettes et faites cuire dans le bouillon de légumes jusqu'à ramollissement. Retirez la moitié des morceaux, réservez et écrasez le reste dans la casserole. Dans une autre casserole faites fondre le beurre, versez-y la farine et faites-en un roux. Arrosez avec un peu de soupe et laissez cuire brièvement. Continuez à verser progressivement la soupe jusqu'à obtenir une consistance veloutée. Ajoutez les morceaux de chou-fleur, le persil, le sel, le poivre et la noix de muscade.

Pour les gaufres, broyez l'amarante, le sarrasin et l'épeautre et ajoutez-y de l'eau en tournant jusqu'à obtention d'une bouillie compacte. Ajoutez les graines de tournesol, salez la pâte et laissez gonfler environ 25 minutes. Chauffez le gaufrier, graissez-le au besoin et versez-y 2 cuillerées à soupe de pâte pour chaque gaufre. Les gaufres doivent être croustillantes. Laissez-les tiédir un peu sur une grille à gâteaux et servez avec la soupe.

Troisième jour

Si vous ne vous sentez pas vraiment dans votre assiette ce matin, il n'y a rien d'anormal à cela. Entre le deuxième et le troisième jour, les acides accumulés dans les tissus se dissolvent progressivement et sont éliminés de l'organisme. Ce phénomène s'accompagne naturellement de ce qu'il est convenu d'appeler une crise salutaire, c'est à dire d'une aggravation momentanée de divers symptômes. Vous vous sentez fatigué(e), vous avez l'impression que vos maux habituels s'aggravent ou que d'anciens resurgissent. Tenez bon, car dès demain votre état se sera amélioré.

Cette journée commence en couleurs par melon et pastèque, deux fruits très alcalinisants. Toutefois, veillez ici encore à ce qu'ils soient bien mûrs. Si le melon et la pastèque ne vous disent rien au petit déjeuner, aucun problème : remplacez-les tout simplement par des tartines de pain d'épeautre beurrées au miel.

Petit déjeuner

Assiette de melon et pastèque
Pour 2 personnes
1/4 de pastèque
1/4 de melon de Cavaillon
1/4 de melon d'Espagne

Pour chacun des fruits, détachez la chair de l'écorce et coupez-la en morceau pas trop gros. Enlevez éventuellement les pépins. Disposez soigneusement sur l'assiette et servez.

Déjeuner

Soupe de courge aux lanières de saumon
Pour 4 personnes
500 g de courge • 1 oignon • 1 petit céleri-rave • 1 petite tige de poireau • 2 c. à soupe d'huile d'olive • 4 c. à soupe de persil haché • 1 l de bouillon de légumes • sel • poivre • 4 c. à soupe de crème fouettée • 2 tranches de saumon fumé

Retirez l'écorce de la courge et coupez la chair en dés grossiers. Épluchez et hachez les oignons. Épluchez le céleri et coupez en petits dés. Ouvrez le poireau dans le sens de la longueur, lavez et coupez en anneaux. Faite chauffer l'huile dans une grande casserole et faites blondir les oignons avec 1 cuiller à soupe de persil. Mettez les morceaux de courge et versez le bouillon de légumes sans couvrir tout à fait. Laissez cuire environ 20 minutes, jusqu'à ce que la courge se défasse. Passez la soupe au tamis en écrasant les morceaux avec une fourchette. Assaisonnez et versez dans des assiettes préalablement chauffées. Faites flotter 1 cuillerée à soupe de crème dans chaque assiette, saupoudrez avec ce qui reste du persil et garnissez avec le saumon coupé en fines lanières.

Salade de carottes et de haricots mungo
Pour 4 personnes
2 carottes • 1/2 l de bouillon de légumes • 150 g de haricots mungo germés • 1 c. à café de sel • 2 petits oignons blancs • 1 c. à soupe de persil haché • 1 c. à soupe à de ciboulette hachée • 1 c. à soupe d'aneth hachée • 2 c. à soupe d'huile de tournesol • 1 c. à café de moutarde • jus de 1/2 citron • poivre

Épluchez les carottes, coupez en petits dés et faites cuire dans le bouillon de légumes en veillant à ce qu'elles restent croquantes. Mettez les haricots dans une casserole, couvrez d'eau, ajoutez du sel et faites cuire 3 mn. Retirez le restant d'eau et mélangez haricots et carottes. Ajoutez les petits oignons blancs hachés et les herbes. Avec l'huile, la moutarde, le jus de citron, un peu de bouillon, du sel et du poivre, faites une marinade et versez sur la salade.

Dîner

Crème d'avocat aux jeunes pousses
Pour 4 personnes (photo)
1 avocat bien mûr • 2 champignons de Paris • 1 c. à café de persil haché menu • 1 c. à café de ciboulette hachée menu • 1 c. à café pleine à raz bord de pousses d'alfalfa• 1 c. à café pleine à raz bord de pousses de radis • 1 c. à café d'oignon haché • 2 c. à soupe d'huile d'olive • un filet de citron • sel • poivre

Coupez l'avocat en deux dans le sens de la longueur avec un couteau pointu et séparez les moitiés avec un mouvement du poignet. Retirez le noyau. Retirez la chair avec une cuiller et écrasez avec une fourchette. Nettoyez les champignons, coupez en petits dés et mélangez à tous les autres ingrédients. Assaisonnez le tout avec le jus de citron, le sel et le poivre. Servez avec des galettes de riz ou des gaufres de votre préparation.

Quatrième jour

La crise salutaire est maintenant passée et vous commencez à vous sentir vraiment bien. Pour que cela continue, vous devez impérativement poursuivre votre cure de huit jours. Vous étiez-vous d'ailleurs rendu compte que cela fait déjà quatre jours que vous mangez végétarien ? Vous voyez comme il est facile de se passer de viande !

Petit déjeuner

Salade de fruits multicolore
Pour 2 personnes
4 fraises • 5 grains de raisin rouge • 1 kiwi • 1 mangue • 1 poire • sirop de poire

Lavez les fruits. Retirez la queue des fraises, coupez les grains de raisin en deux et retirez éventuellement les pépins. Pelez les kiwis et coupez en tranches. Épluchez la mangue et séparez la chair du noyau. Débarrassez les poires de leur trognon et coupez en dés. Mélangez tous les ingrédients et sucrez avec le sirop de poire.

• Conseil : les graines de céréale germées complètent à merveille la salade de fruits d'un point de vue nutritionnel et sont très bonnes au goût.

Déjeuner

Brocoli-crudités
Pour 4 personnes
400 g de brocoli • 2 carotte • 1 oignon • 1/2 l de petit-lait • 2 c. à soupe d'huile de tournesol • sel • poivre • un peu de jus de citron • 1 c. à soupe de graines de tournesol

Lavez le brocoli, séparez les rosettes et épluchez les grosses tiges. Faites cuire 2 minutes dans de l'eau bouillante salée, retirez et passez à l'eau froide. Laissez bien égoutter. Épluchez les carottes et râpez fin. Épluchez et hachez l'oignon. Mélangez les légumes, ajoutez-y le petit-lait et assaisonnez avec le sel, le poivre et le jus de citron. Disposez dans les assiettes et garnissez avec les graines de tournesol. Servez avec des galettes de riz ou des gaufres de pain faites maison (page 51)

Galettes de pommes de terre et compote de pomme aux raisin
Pour 4 personnes (photo)
Pour la compote de pomme :
3 pommes moyennes • jus de 1 petit citron • 1/2 tasse de raisins secs mis à tremper la veille • 2 c. à soupe de pignons

Pour les galettes de pomme de terre :
1 kg de pomme de terres ne se défaisant pas à la cuisson • 1 petit oignon • 1 c. à café d'huile • 1 c. à soupe de persil fraîchement haché • 1 œuf • sel • poivre • huile de tournesol pour frire les galettes

Préparez si possible la mousse de pomme la veille de façon à ce qu'elle ait le temps de refroidir. Épluchez les pommes, coupez en quartiers et retirez le trognon. Faites cuire les quartiers avec le jus de citron dans 1/8 l d'eau en couvrant la casserole et sans les laisser se défaire. Laissez refroidir et écrasez avec un presse-purée. Ajoutez les raisins et mélangez. Faites rissoler les pignons dans une poêle sans graisse et parsemez-en la compote. Pour les galettes, épluchez les pommes de terre et râpez-les finement. Mettez-les pommes de terre râpées sur un torchon, roulez le torchon et serrez le plus fort possible afin d'en exprimer le jus. Épluchez et hachez l'oignon. Faites chauffer l'huile et laissez blondir les morceaux d'oignon avec le persil. Laissez refroidir légèrement et mélangez aux pommes de terre. Ajoutez l'œuf, le sel et le poivre et mélangez énergiquement. Faites chauffer un peu d'huile dans une poêle et faites frire les unes après les autres

des galettes de la taille de la paume de la main. Servez avec la compote de pomme aux raisins.

Dîner

Salade de carottes et de céleri
Pour 2 personnes
1 céleri-rave • 2 carottes • 1/2 l de bouillon de légumes • 125 g de crème • 1 c. à soupe de vinaigre • sel • poivre

Épluchez le céleri rave et les carottes, coupez en petit dés et faites cuire dans le bouillon de légumes quelques minutes de manière à ce qu'ils restent croquants. Retirez du bouillon et laissez refroidir. Mélangez les petits dés avec les autres ingrédients et laissez mariner pendant env. 30 minutes. Servez avec des tranches de pain aux graines de tournesol et du beurre. Buvez un verre du bouillon tiède, car il contient des vitamines et des minéraux provenant du céleri et des carottes.

Cinquième jour

Vous avez déjà fait d'énormes progrès – la cure de huit jours et le programme « corps et esprit » commencent à faire effet : votre organisme s'est habitué à l'élimination des acides, votre estomac ne réclame pas, votre corps se raffermit et vous devriez commencer à perdre vos premiers kilos. Et surtout n'oubliez pas que pour favoriser ces processus, vous devez boire 3 à 3,5 l de liquide par jour sous forme d'eau minérale plate ou de tisanes !

Petit déjeuner

Compote de fruits secs
sur pain complet
Pour 4 personnes
4 pruneaux d'Agen • 4 dattes séchées • 4 figues séchées • 1 c. à soupe de raisins secs • 4-5 abricots séchés • 1 tasse d'amandes ou de noisettes pilées • 1 pincée de cannelle

Mettez les fruits secs la veille dans un saladier et couvrez d'eau minérale plate. Laissez tremper toute la nuit. Le matin, écrasez avec un presse-purée. Ajoutez les amandes ou les noisettes et mélangez. Assaisonnez avec la cannelle. Servez sur des tartines de pain complet.

● Conseil : coupez une banane en fines rondelles et garnissez-en vos tartines de fruits secs.

Déjeuner

Pommes de terre au four
avec fromage blanc
aux jeunes pousses
Pour deux personnes
4-5 pommes de terre ne se défaisant pas à la cuisson (env. 400 g) • 250 g de fromage blanc • 100 ml de lait • 2 c. à café d'huile d'olive • 2 petits oignons blancs • 1 c. à soupe de persil finement haché • 1 c. à soupe de ciboulette finement hachée • 2 c. à soupe de pousses de radis • 1 c. à soupe de pousses d'alfalfa • sel aux herbes • poivre • 1/2 de concombre • 2 c. à soupe de cresson • graisse pour le plat

Préchauffez le four à 200 °C. Brossez énergiquement les pommes de terres sous l'eau courante et coupez-les en deux. Graissez un plat en terre ou en aluminium, disposez les moitiés de pomme de terre au fond du plat, peau vers le haut, et faites cuire env. 30 mn (plat au milieu ; sur 180 °C avec chaleur tournante). Entre-temps, mélangez le fromage blanc, le lait et l'huile d'olive jusqu'à obtention d'une consistance lisse. Nettoyez les oignons, coupez en anneaux fins et mélangez au fromage blanc avec les herbes et les pousses. Assaisonnez avec le sel aromatisé et le poivre. Épluchez les concombres, râpez, salez légèrement et laissez dégorger. Évacuez l'eau et séchez un peu avec du papier essuie-tout. Disposez sur le fromage blanc. Mettez les pommes de terre sur les assiettes, garnissez avec le fromage blanc, saupoudrez de cresson et servez.

Scarole en salade
Pour 2 personnes
1/2 scarole • 1 petit oignon • jus de 1/2 citron • sel • poivre • 1/2 c. à café de moutarde • 1/2 de c. à café de miel • 1 c. à soupe d'huile de tournesol

Lavez la salade et coupez les feuilles en fine bandes. Épluchez et hachez les oignons et mélangez à la salade. Pour la vinaigrette, mélangez tout d'abord le jus de citron, le sel, le poivre, la moutarde et le miel, puis ajoutez l'huile et émulsionnez. Au besoin, ajoutez un peu d'eau. Laissez la salade mariner brièvement et servez en même temps que les pommes de terre au four.

Dîner

Tarte aux légumes
Pour 4 personnes (photo)
Pour la pâte :
200 g d'amarante moulue • 2 pincées de sel • 100 g de beurre tendre • 1 œuf

Pour la farce :
1 petite courgette • 1/2 poivron rouge et 1/2 poivron jaune • 1 gros oignon • 2 gousses d'ail • 500 g de champignons de Paris • 2 c. à soupe d'huile d'olive • 125 g de crème fraîche • sel • poivre • 1 c. à soupe d'origan haché menu • 1 c. à soupe de basilic haché menu • 125 g de mozzarelle • graisse pour le plat

Pour la pâte, mélangez la farine d'amarante, le sel, le beurre et l'œuf et pétrissez jusqu'à obtention d'une pâte élastique. Graissez un plat à tarte et étalez-y la pâte en faisant des rebords. Mettez au réfrigérateur pendant 30 mn. Lavez la courgette et les poivrons. Coupez la courgette en fines rondelles. Débarrassez les poivrons des graines et des membranes et coupez en fines lamelles. Épluchez l'oignon et l'ail. Coupez l'oignon en demi-cercles et hachez l'ail. Nettoyez les champignons et coupez en lamelles. Faites chauffer l'huile et laissez revenir les oignons pendant 2 mn. Ajoutez les légumes et l'ail et laissez transpirer pendant env. 5 mn. Ajoutez la crème, le sel, le poivre et les herbes en touillant et laissez cuire brièvement. Préchauffez le four à 200 °C. Tapissez votre pâte avec la farce. Coupez la mozzarelle en tranches fines et garnissez-en la farce. Mettez le tout au four (milieu) et laissez cuire pendant env. 30 mn (sur 180 °C avec chaleur tournante), jusqu'à ce que le dessus prenne une teinte dorée. Servez avec un peu de scarole (il vous en reste d'à midi) ou une salade de concombre au lait fermenté et oignons.

Sixième jour

Aujourd'hui, c'est la fête – un risotto de légumes à la chinoise avec une salade de tomates pour le midi et de délicieuses courgettes aux crevettes pour le soir. Qui aurait pu s'imaginer que faire un régime pouvait être aussi agréable ?! Mais n'en oubliez pas pour autant de manger lentement et d'arrêter à la moindre sensation de réplétion. Que votre plaisir gustatif ne vous fasse pas négliger votre programme « corps et esprit » !

Petit déjeuner

Müesli aux graines
Pour 2 personnes
1 c. à soupe de graines de courge • 1 c. à soupe de graines de tournesol • 1 c. à soupe de noisettes pilées • 3-5 noix de cajou • 1 c. à soupe de raisins secs • 50 g de fruits secs (dattes, pruneaux, abricots) • 1 pomme • 1/2 banane • 4 c. à soupe de crème • sirop de poire ou miel

Mettre graines, nucules et fruits secs la veille au soir dans un saladier et couvrir d'eau minérale plate. Laissez tremper toute la nuit. Le matin, lavez les pommes, retirez le trognon et coupez en petits morceaux. Épluchez la banane et coupez en fines rondelles. Mélangez tous les ingrédients, ajoutez la crème et sucrez avec le sirop de poire ou le miel.

Déjeuner

Risotto de légume à la chinoise
Pour 4 personnes
100 g de riz complet • 1 carotte • 1 chou-rave • 250 g de brocoli • 200 g de chou-fleur • 100 g de haricots verts • 150 g de grains de maïs ou de 2 épis de maïs • 1 l de bouillon de légumes • 50 g de haricots mungo germés • 3 c. à soupe de parmesan fraîchement râpé • 1-2 c. à café de sauce soja

Faites cuir le riz al dente dans de l'eau salée frémissante, retirez l'eau et laissez égoutter. Lavez les légumes, coupez en morceaux et séparez les rosettes. Faites cuir les épis de maïs 20 mn dans l'eau salée. Faites chauffer le bouillon de légumes, mettez-y le chou-rave et les haricots verts à cuir pendant 15 mn, de manière à ce qu'ils restent croquant. Au bout de 5 mn ajoutez les morceaux de chou-fleur et au bout de 10 mn les morceau de brocoli, les grains de maïs détachés et les haricots germés. Assaisonnez avec la sauce soja et incorporez le riz. Couvrez et laissez mijoter encore 5 mn. Mettez le risotto dans les assiettes et saupoudrez de parmesan. Servez.

Salade de tomates aux pousses d'alfalfa
Pour 4 personnes
300 g de tomates rondes ou en grappes • 100 g de pousses d'alfalfa • 1 oignon • 2 c. à soupe d'huile d'olive • 2 c. à soupe de vinaigre balsamique • sel • poivre

Lavez les tomates, retirez la base des queues et coupez en tranches. Disposez en éventail sur une grande assiette plate et garnissez avec les pousses d'alfalfa. Épluchez et hachez les oignons et mélangez aux autre ingrédients pour faire la sauce. Versez sur les tomates et laissez mariner brièvement. Servez.

Dîner

Courgettes poêlées aux crevettes roses
Pour 2 personnes (photo)
2 courgettes • 1 c. à soupe de beurre • 2 c. à soupe d'huile d'olive • sel • poivre • 1 tomate charnue • 6 crevettes roses • 125 g de crème • 1 c. à café de raifort • 1 c. à café d'origan • 1 pincée de thym séché • 1 gousse d'ail

Lavez les courgettes, essuyez et coupez en tranches dans le

sens de la longueur. Faites chauffer le beurre et l'huile dans une grande poêle et faites rissoler les tranches de courgette à feu vif tout veillant à ce qu'elles ne ramollissent pas trop. Retirez et laissez égoutter sur du papier essuie-tout. Ébouillantez les tomates, retirez la peau, coupez en quatre et retirez les graines. Coupez la chair en petits dés et jetez dans la poêle en même temps que les crevettes roses. Laissez cuire brièvement dans le restant d'huile et de beurre. Ajoutez la crème et assaisonnez avec le raifort, les herbes et l'ail pressé. Disposez les tranches de courgettes dans des assiettes préchauffées, garnissez avec les crevettes et servez avec des galettes de riz ou de céréales.

Septième jour

Vous approchez lentement mais sûrement de la fin de votre cure de huit jour – et vous vous sentez probablement en pleine forme. Le plus important est que vous ayez pris conscience qu'il est tout à fait possible de se régaler et de manger à sa faim tout en évitant dans une large mesure les produits acidifiants, tels que les céréales, la viande ou le sucre. Si l'une des recettes précédente vous a plu, pourquoi ne pas l'inclure dans vos fiches cuisine ?

Petit déjeuner

Müesli aux fruits rouges
Pour 2 personnes (photo)
400 g de baies variées • 80 g de grains de blé tendre germés • 1 c. à soupe de pistaches non salées • 100 g de crème ou de yaourt • pulpe d'une gousse de vanille • miel ou sirop de poire

Lavez les baies et séchez avec du papier essuie-tout. Rincez les graines germées et laissez bien égoutter. Mélangez les baies, les graines germées, les pistaches, la moelle de vanille et le yaourt ou la crème et sucrez avec le miel ou le sirop de poire.

Les baies ne vous disent rien aujourd'hui ou il vous est impossible d'en trouver des fraîches ?

Vous préférerez alors peut-être des tartines de pain complet avec de la compote de banane au miel. Pour cela écrasez 1 banane par personne et mélangez chacun des deux fruits avec 1/2 c. à soupe de jus de citron et du véritable miel d'abeille . Coupez le pain en tranches très fines et tartinez avec la compote.

Le müesli aux fruits rouges de saison est un délice. Que vous utilisiez des cerises, des fraises, des framboises, des groseilles ou du cassis – le plus important est qu'ils soient frais et bien mûr.

Déjeuner

Galettes de millet et de tofu aux légumes

Pour 4 personnes

100 g de millet • 300 ml de bouillon de légumes • 1 chou-rave • 1 carotte • 1-2 c. à café de sauce soja • 1 oignon • 2 c. à soupe de persil haché menu • 1 c. à soupe d'huile • 100 g de tofu • 2 jaunes d'œuf • 1 c. à soupe de ciboulette hachée • sel • poivre • beurre pour la poêle

Lavez le millet, mettez dans 200 ml de bouillon de légumes et portez à ébullition. Réduisez la flamme et laissez gonfler pendant environ 35 mn. Retirez, égouttez et laissez refroidir. Épluchez le chou-rave et la carotte, coupez en rondelle et faites transpirer dans les 100 g de bouillon restant. Assaisonnez avec un peu de sauce soja. Épluchez et hachez l'oignon et faites blondir dans l'huile avec le persil. Mélangez au millet. Ajoutez le tofu coupé en petits dés et les jaunes d'œuf et pétrissez jusqu'à obtention d'une pâte. Avec les mains humides formez des galettes de la taille de la paume. Faites fondre le beurre dans une grande poêle et laissez rissoler les galettes les unes après les autres. Garder au chaud. Une fois toutes les galettes prêtes, disposez sur les assiettes et garnissez avec le chou-rave et la carotte. Servez.

Compote d'agrumes

Pour 4 personnes

2 oranges • 2 pomelos roses • 1 pomelo jaune • 30 g d'amidon alimentaire • 30 g de miel • 4 c. à soupe de crème battue

Épluchez une orange, un pomelo rose et un pomelo jaune de façon à retirer également les peaux blanches. Séparez les quartiers et retirez délicatement la membrane à l'aide d'un couteau aiguisé. Recueillez le jus s'écoulant goutte à goutte. Pressez les trois autres fruits et allongez le jus avec 250 ml d'eau. Délayez l'amidon avec un peu de jus dilué jusqu'à obtention d'une consistance lisse. Versez le miel dans le jus, faites chauffez en y ajoutant l'amidon et laissez frémir en tournant jusqu'à éclaircissement du liquide. Ajoutez les quartiers d'agrume et laissez refroidir. Servez avec la crème fouettée.

Dîner

Épis de maïs au beurre aromatisé

Pour 4 personnes

4-8 épis de maïs (selon la taille) • sel • 200 g de beurre ramolli • 50 g d'herbes fraîchement hachées (persil, ciboulette, thym et marjolaine)

Faites cuire les épis de maïs dans une grande casserole d'eau salée. Battez le beurre pour lui donner la consistance d'une mousse. Ajoutez le sel et les herbes tout en tournant et mettez au réfrigérateur. Retirez les épis de maïs, laissez égoutter et servez avec le beurre au herbes.

Huitième jour

Ça y est, ça se termine – ou bien peut-être souhaiterez-vous tout reprendre depuis le début pour essayer une deuxième fois les délicieuses recettes de ces derniers jours ? Quoi qu'il en soit, il serait bien que vous preniez l'habitude de vous nourrir régulièrement comme vous venez de le faire toute cette semaine, ce qui ne devrait pas être trop difficile.

Petit déjeuner

Müesli aux poires et aux noix

1 poire et 1 banane bien mûres • 5 c. à soupe de flocons de maïs complet • 1 c. à café d'amandes pilées • 1 c. à café de noisettes pilées • 1 pincée de vanille et de cannelle • lait • sirop de poire

Coupez les fruits en petits dés et mélangez avec tous les autres ingrédients. Arrosez de lait et sucrez à votre convenance.

Déjeuner

Filet d'agneau aux marrons

Pour 2 personnes (photo)

250 g de marrons • 2 c. à soupe de raisins secs • 1/8 l de bouillon • 2 gousses d'ail • 250 g de filet d'agneau • sel, poivre • 2 c. à soupe d'huile • 150 ml de vin blanc • 1 c. à soupe de romarin • 6 feuilles de sauge • 1 c. à soupe de beurre • 1 c. à café de farine

Préchauffez le four sur 220 °C. Incisez les marrons en croix,

disposez sur une plaque en aluminium et mettez au four pendant environ 10 mn (sur 200 °C avec chaleur tournante) ; retournez les marrons régulièrement pendant la cuisson. Retirez et laissez un peu refroidir. Épluchez et réservez en couvrant. Versez les raisins secs dans le bouillon et faites chauffer sans porter à ébullition. Retirez la casserole du feu. Épluchez l'ail. Rincez la viande à l'eau froide et séchez avec un papier essuie-tout. Salez et poivrez. Faites chauffez l'huile dans une poêle à feu vif et saisissez la viande. Réduisez un peu la flamme et laissez cuire pendant 5 à 7 mn. Retirez et enveloppez dans une feuille de papier aluminium pour maintenir chaud. Versez un peu de vin blanc dans le jus de viande et ajoutez le romarin haché et les feuilles de sauge. Pressez l'ail par-dessus et laissez réduire la sauce de moitié. Entre-temps, faites fondre le beurre dans une casserole et versez-y la farine pour faire un roux. Versez petit à petit le bouillon avec les raisins en tournant continuellement et portez à ébullition. Ajoutez le fond de sauce à base de jus de viande et de vin blanc. Mélangez et versez les marrons. Laissez mijoter. Tranchez le morceau de viande et disposez sur les assiettes avec la sauce aux marrons.

Salade d'endives

Pour 2 personnes

1 ou 2 endives • 1 petite pomme sucrée (Cox Orange) • 1 c. à soupe de vinaigre de cidre • 2 c. à soupe de crème • 1 pincée de moutarde • sel • poivre • 1 c. à soupe d'huile de tournesol • 1/2 c. à café de pointes d'aneth

Lavez les endives et laissez égoutter. Si elles sont amères, retirez le trognon en le coupant en cône, car c'est là que se concentre généralement l'amertume. Coupez les endives en fines lanières. Coupez la pomme en quatre, retirez le trognon et coupez en petits dés. Mélangez énergiquement le vinaigre, la crème, la moutarde, le sel et le poivre, ajoutez l'huile et émulsionnez. Versez la vinaigrette sur les endives et mélangez bien. Laissez mariner pendant 15 mn. Saupoudrez avec les pointes d'aneth et servez avec les morceaux d'agneau.

Dîner

Gratin de légumes et de pommes de terre

Pour 2 personnes

2 carottes • 100 de céleri rave • 1 petit oignon • 5 pommes de terre • 1 pincée de thym • 1 pincée de cumin • poivre • sel • 1 pincée de noix de muscade • 5 c. à soupe de crème aigre et 5 c. à soupe de crème douce • 2 jaunes d'œuf • 2 c. à soupe de parmesan râpé • beurre pour le plat • 1/2 gousse d'ail

Préchauffez le four à 200 °C. Graissez entièrement un plat à gratin et frottez avec la gousse d'ail. Épluchez les carottes, le céleri et l'oignon et coupez en petits dés. Épluchez les pommes de terre et coupez en tranches fines. Disposez les tranches de pommes de terre en quinconce au fond du plat. Saupoudrez avec les herbes et les épices et recouvrez avec les légumes. Mélangez la crème aigre et la crème douce avec les jaunes d'œuf et le parmesan et versez sur le gratin. Mettez au four (milieu ; sur 180 °C avec chaleur tournante) et laissez cuire 25 à 30 mn, jusqu'à ce que le dessus prenne une teinte dorée.

Programme de 8 jours « corps et esprit »

En bonne santé sur toute la ligne

Le soin porté à votre alimentation ne doit pas vous faire oublier les autres besoins de votre corps ni ceux de votre psychisme, car seul l'harmonie entre corps et esprit peut garantir un état de santé véritablement satisfaisant.

Pour cela, aidez votre corps en activant votre circulation et en renforçant vos muscles par des exercices appropriés, des bains et des massages, et aidez votre psychisme en luttant contre le stress et en apprenant à vous relaxer.

Voilà comment peut se présenter votre programme de 8 jours « corps et esprit » :

	Jour 1	Jour 2	Jour 3	Jour 4	Jour 5	Jour 6	Jour 7	Jour 8
Gymnastique respiratoire	x	x	x	x	x	x	x	x
Brossage à sec	x	x	x	x	x	x	x	x
Succion d'huile	x	x	x	x	x	x	x	x
Frictions au vinaigre de cidre	x		x		x		x	
Masque d'argile		x				x		
Lavement alcalinisant	x							
Bain		x			x			x
Enveloppement du foie	x			x			x	
Méditation dans la nature		x		x		x		x
Massage à deux	x				x			x
Automassage			x			x		
Sport		x			x		x	

Votre programme individualisé

Faites preuve de discipline

Afin que vous ne perdiez pas de vue toutes les possibilités qui s'offrent à vous pour prendre soin de votre corps et de votre esprit durant ces huit jours, voici un tableau récapitulatif des soins proposés dans ce livre. Sur la page de gauche, vous pouvez voir comment se présente un programme type : gymnastique respiratoire, brossage à sec et succion d'huile doivent être pratiqués chaque jour, tandis que la fréquence des autres soins est laissée à votre appréciation. L'idéal serait toutefois de procéder à chacun d'eux au moins deux fois durant ces huit jours, car votre bien-être ne dépend pas seulement de votre alimentation, mais aussi du soin que vous apportez à votre corps et à votre esprit.

Inscrivez dans le tableau ci-dessous votre programme individuel

	Jour 1	Jour 2	Jour 3	Jour 4	Jour 5	Jour 6	Jour 7	Jour 8
Gymnastique respiratoire								
Brossage à sec								
Succion d'huile								
Stretching								
Bains et douches								
Bouillotte								
Enveloppements								
Frictions au vinaigre de cidre								
Lavement alcalinisant								
Masque d'argile								
Méditation dans la nature								
Voyage intérieur								
Massages								

Se prélasser au lit

Exercices respiratoires du matin

Qu'y a-t-il de plus agréable que de se prélasser un peu dans son lit le matin, histoire d'éviter les transitions trop brutales ? D'un point de vue médical également, il est bien préférable de se réveiller lentement et de s'étirer plutôt que de sortir du lit précipitamment. Cela permet notamment de défaire les contractures apparues durant la nuit et d'activer progressivement la circulation et le métabolisme.

Respirer avec le ventre

Une fois votre régime circulatoire diurne revenu à la normale, faites des exercices respiratoires, si possible devant une fenêtre ouverte.

Exercice 1

Mettez-vous debout, jambes légèrement écartées, paumes des mains posées sur le bas-ventre, juste au-dessus du plancher pelvien de façon à bien ressentir les mouvements respiratoires. Inspirez profondément par le nez, bouche fermée, laissez descendre l'air jusque dans le ventre, retenez votre respiration pendant cinq secondes, puis expirez très lentement par la bouche. Retenez à nouveau votre respiration pendant cinq secondes et répéter cet exercice au moins cinq fois.

Exercice 2

Respirer et s'étirer

Croisez vos doigts derrière la tête et exercez une légère pression des mains vers le haut de façon étirer un peu votre nuque et votre colonne vertébrale. Inspirez profondément par le nez. Retenez votre respiration sur l'étirement pendant environ cinq secondes, puis expirez lentement par la bouche tout en baissant la tête et en enroulant légèrement le buste vers l'avant. Restez à nouveau cinq secondes. Sans respirer, redressez-vous lentement et inspirez encore une fois profondément par le nez en laissant descendre l'air jusque dans le ventre. Restez à nouveau immobile pendant cinq secondes en essayant de vous étirer vers le haut. Répétez cet exercice au moins cinq fois. Si la gymnastique respiratoire vous intéresse, il existe plusieurs livres traitant de ce sujet.

Stretching

Aussi important que l'exercice

Stretching veut dire étirement – et s'étirer et presque aussi important pour les tissus conjonctifs, les tissus de soutien et les muscles que de faire de l'exercice. Par manque de sollicitation ou à force de faire toujours les mêmes gestes, notre corps a tendance à s'atrophier et à se scléroser. Il s'ensuit des mauvaises postures qui elles même donnent lieu à des douleurs plus ou moins vives et c'est le cercle vicieux.

Attention

Lors de chaque exercice de stretching, il convient de rechercher la sensation d'étirement du muscle, mais en aucun cas de forcer. Arrêter dès que vous avez mal !

Exercice 1

Étirer tout son corps

Mettez-vous debout, jambes légèrement écartées. Tendez les bras le plus haut possible au-dessus de votre tête et allez chercher le plafond alternativement avec une main et puis l'autre. Faites comme cela dix fois avec chaque main.

Exercice 2

Posez un talon sur une chaise au moins à hauteur du genou, jambe tendue ; penchez le buste lentement vers l'avant sur la jambe. Ce faisant, essayez de vous détendre et compter jusqu'à 15. Normalement, vous devez sentir un étirement derrière la cuisse. Faites ensuite la même chose avec l'autre jambe.

On s'étire mieux en se détendant

Exercice 3

Asseyez-vous par terre, jambes écartées et penchez-vous cinq fois lentement sur la jambe gauche, puis cinq fois sur la jambe droite et enfin cinq fois vers l'avant. Allez à chaque fois le plus loin possible, mais pas au-delà de ce que votre souplesse permet. Si vous n'éprouvez pas de difficulté à faire cet exercice, attrapez le pied et tirer doucement avec les bras pour aller plus loin.

Arrêter immédiatement en cas de douleur

En stretching, il est très important de ne pas faire de mouvements brusques, mais au contraire de travailler lentement et de façon progressive. À chaque fois que vous ressentez l'étirement, arrêtez de tirer, mais ne relâchez pas, détendez-vous et essayez de reprendre l'étirement pour aller un peu plus loin.

Exercice 4

Mettez-vous debout, jambes légèrement écartées et tendez les bras au-dessus de la tête en vous étirant. Enroulez ensuite le haut du corps vers l'avant en tirant vos bras vers le bas. La tête s'enroule lentement, puis le haut du dos, le bas du dos et enfin le bassin. Descendez ainsi le plus bas possible et restez quelques instants dans cette position, puis remontez dos rond jusqu'en haut, vertèbre après vertèbre. Répétez cet exercice trois ou quatre fois.

Enroulement et déroulement de la colonne vertébrale

Stimuler le métabolisme et la circulation

Le matin, lorsque le métabolisme et la circulation repartent à plein régime, l'organisme se débarrasse beaucoup plus facilement de ses toxines et résidus métaboliques. C'est donc le bon moment pour essayer d'atteindre l'équilibre acido-basique.

Utile contre les résidus

Brossage à sec

Se brosser stimule la circulation, permet de lutter contre la fatigue et renforce le système immunitaire. Vous avez besoin pour cela de deux brosses de massage en crin naturel d'une dureté adaptée à votre sensibilité cutanée ainsi que d'une ceinture de massage pour le dos que vous pourrez vous procurer en pharmacie.

Ceinture de massage pour le dos

Attention

Si vous avez des varices, ne frottez pas les régions touchées ! Demandez d'abord conseil à votre médecin !

Le brossage à sec stimule la circulation

Comment s'y prendre

Le brossage commence debout et se pratique alternativement avec une ou deux brosses. Brossez les jambes de la cheville jusqu'au genou en faisant des mouvements lents amples et rythmés. Ensuite, asseyez-vous. Brossez les pieds, y compris la plante, les articulations du genou et, en faisant des mouvements circulaires, les cuisses, les hanches et l'entrejambe. Brossez ensuite le bras droit, puis le gauche. Partez du dessus de la main et effleurez l'avant-bras, puis le bras. Une fois dans la région de l'épaule, faites des mouvement circulaire. Ensuite, faites la même chose en commençant par la paume et en remontant le long de l'intérieur de l'avant-bras et du bras jusqu'à l'aisselle.

Les brosses parcourent le corps

Pour le tronc, massez par petits mouvement circulaires à partir de l'épaule, descendez vers le téton, dont vous ferez le tour, puis jusqu'au sternum, où la pression doit se faire moins forte – commencez par le côté droit.

Pour le ventre, placez les deux brosse sous l'arc costal et faites-les glisser simultanément à droite et à gauche en direction de l'os du bassin, puis faites le même mouvement en sens inverse. Brossez ensuite en allant des flancs jusqu'à la ligne médiane du tronc. Terminez par un massage énergique du dos en vous servant de votre ceinture. Comptez pour cette séance de brossage au moins 15 minutes.

Ne pas oublier le dos

Douche

Commencez la journée avec une bonne douche chaude afin que votre corps se réchauffe. Terminez par un rinçage à l'eau froide en commençant par les pieds et le bas des jambes, puis en montant progressivement région après région. Seul le dos doit être épargné. Si vous ne supportez pas le contact de l'eau froide avec le ventre, évitez tout simplement cette région au début. Avec le temps, votre corps s'habituera au passage du chaud au froid et le rinçage à l'eau froide vous paraîtra indispensable pour vous revigorer.

Eau froide : seulement sur un corps chaud

Après la douche, vous devez impérativement vous allonger sous des couvertures et y rester dix minutes. En procédant ainsi non seulement vous commencerez votre journée parfaitement éveillé(e), mais en plus vous renforcerez votre système immunitaire.

Bain aux fleurs de foin

« Fleurs de foin » est le nom donné par l'abbé Kneipp à une composition d'herboristerie contenant différentes plantes, dont le flouve et le gaillet, qui ont pour effet d'activer la circulation sanguine, de décontracter les muscles, de calmer les douleur et de stimuler le métabolisme. Cette composition est vendue uniquement dans certaines herboristeries (voir Adresses utiles, page 92).

Comment s'y prendre

Mettez 1 kg de fleurs de foin en vrac dans 5 l d'eau froide, portez à ébullition et laissez sur le feu pendant 20 mn. Passez la décoction ainsi obtenue au tamis et versez dans l'eau du bain, dont la température doit être d'environ 38 °C. Entrez dans le bain et n'y restez pas plus de 30 mn. Séchez-vous et allongez-vous ensuite une demi-heure ou une heure sous des couvertures bien chaudes.

Pas plus de 30 minutes

Attention

Il est recommandé aux personnes allergiques de ne rien mettre dans leur bain avant d'avoir tester leur tolérance au produit concerné. Les personnes souffrant de troubles cardio-vasculaires doivent quant à elles surtout éviter les bains trop chauds et il leur est conseillé de consulter leur médecin avant de recourir aux bains thérapeutiques.

Enveloppement de fleurs de foin

En compresse, les fleurs de foin possèdent les même propriétés

Le bain aux fleurs de foin favorise la circulation et stimule le métabolisme

Apaise les douleurs dans les épaules et le dos

qu'en décoction dans le bain. Présentée ainsi, elle est toutefois particulièrement efficace contre les dorsalgies, notamment dans la région de la nuque, des épaules et des lombaires.

Comment s'y prendre

Pas trop chaud

Préparez une décoction de fleur de foin pour laquelle vous mettrez 3 poignées de plantes dans 4 l d'eau. Faites bouillir pendant 30 mn, passez au tamis et laissez refroidir jusqu'à environ 45 °C. Pour vous aider, servez-vous d'un thermomètre. Trempez ensuite un linge dans la décoction, essorez-le et étalez-le sur la zone douloureuse. Recouvrez d'un second linge et faites tenir le tout au moyen d'une serviette de toilette suffisamment grande pour que vous puissiez la faire tenir avec des épingles à nourrice. Laissez agir l'enveloppement entre 10 et 15 mn. Vous pourrez aussi trouver chez certains herboristes des coussins de fleurs de foin prêt à l'emploi. Mettez de l'eau à chauffer dans une casserole. Disposez le coussin dans un panier pour cuire les légumes à la vapeur, de façon à ce qu'il s'imprègne d'humidité sans être trempé. Au bout d'une heure, le coussin est suffisamment chaud et humide. Laissez-le au besoin refroidir un peu pour ne pas vous brûler. Enveloppez-le ensuite dans un linge et appliquez-le pendant environ 20 mn. sur la zone douloureuse. Que vous optiez pour l'enveloppement ou pour le coussin, reposez-vous ensuite pendant environ 10 mn.

Terminer par un peu de repos

Après utilisation, le sac de fleurs de foin doit être mis à sécher dans un endroit bien aéré. Vous pourrez ainsi le réutiliser jusqu'à cinq fois.

Enveloppement de Priessnitz

L'enveloppement de l'abdomen a été inventé par le naturopathe allemand Vincent Priessnitz au début du XIXe siècle. Particulièrement facile à mettre en œuvre, il permet de réchauffer en douceur l'appareil digestif, de stimuler localement la circulation sanguine et, par-là, d'améliorer le fonctionnement des organes.

Stimule les organes digestifs

Vous aurez besoin de deux linges en coton ou en lin de la taille d'un essuie-mains, ainsi que d'une bouillotte et d'une grande serviette de toilette pour maintenir l'enveloppement.

Comment s'y prendre

Pliez les deux linges en quatre afin d'en faire comme des compresses à quatre épaisseur. Humidifiez l'un d'eux avec de l'eau froide, essorez-le et posez-le sur votre ventre. Posez ensuite le linge sec par-dessus, puis la bouillotte à plat, que vous aurez préalablement remplie d'eau bouillante, et fixez le tout en enroulant complètement le drap de bain autour de votre taille. L'enveloppement de Priessnitz doit rester en place pendant au moins une demi-heure, mais rien ne vous empêche d'attendre le refroidissement complet de la bouillotte pour le retirer.

Favoriser la détoxication de l'organisme

Si vous voulez vraiment donner à votre corps la possibilité de se régénérer, il vous faudra tout d'abord l'aider à éliminer les toxines qui l'encombre. Il existe plusieurs méthode, pour la plupart peu coûteuses et faciles mettre en œuvre chez soi.

Frictions au vinaigre de cidre

Détoxication par la peau...

Les fictions chaudes au vinaigre de cidre aident la peau à se détoxiquer. Vous aurez besoin pour cela uniquement d'une serviette de toilette, d'eau chaude et d'un peu de vinaigre de cidre.

Comment s'y prendre

Plongez la serviette de toilette dans l'eau chaude et essorez-la. Aspergez-la ensuite d'une cuillerée à café de vinaigre et frictionnez-vous, en commençant par les pieds et les jambes. Frottez toujours en direction du cœur. Passez ensuite aux mains et aux bras, puis au tronc.

... et de l'intérieur, par les reins

Conseil : en usage interne, le vinaigre de cidre exerce une action désacidifiante. Buvez matin et soir un verre d'eau minérale plate additionnée d'une cuillerée à café de vinaigre.

Lavement alcalinisant

Détoxication par l'intestin

Pratiqué depuis des millénaires dans de nombreuses civilisations, le nettoyage de l'intestin par injection d'eau dans le côlon produit un effet détoxiquant sur l'organisme.
Lorsqu'il est effectué avec une eau alcaline, le lavement présente un double avantage : il permet l'absorption par la muqueuse intestinale de bases utiles à tout l'organisme et contribue à la normalisation du pH de l'intestin lui-même, si bien que les spasmes liés à l'hyperacidité disparaissent et que les affections anales s'améliorent considérablement.
Vous aurez besoin pour cela d'un irrigateur, appareil de lavement vendu en pharmacie, et de bicarbonate de sodium.

Comment s'y prendre

ne eau à 37 °C

Pour l'irrigation, il vous faudra trois litres d'eau à température du corps additionnée d'une cuillerée à café de bicarbonate de sodium. Pour vous servir de l'irrigateur, reportez-vous à la notice d'utilisation jointe à l'appareil lors de l'achat et suivez les indications à la lettre ou demandez conseil à votre médecin ou votre pharmacien.

Succion d'huile

Détoxication par la muqueuse buccale

Cette méthode inventée par un médecin russe, le docteur Karach, permet de débarrasser le corps de ses toxines par la muqueuse buccale. Vous aurez besoin pour cela d'huile de tournesol pressée à froid

Comment s'y prendre

Rincez-vous soigneusement la bouche avec une cuillerée à soupe d'huile et attendez 10 à 15 minutes avant de recracher. L'huile doit alors avoir pris une consistance laiteuse et fluide. Si ce n'est pas le cas, c'est que vous ne l'avez pas gardée assez longtemps. Rincez-vous la bouche à grande eau et brossez-vous les dents. Jetez l'huile usée avec les ordures ménagères.

Bain de petit-lait

Grand classique de la pharmacopée naturelle, le petit-lait peut s'utiliser en usage interne, en le buvant, ou en usage externe, en se baignant dedans. Il stimule le métabolisme et favorise la détoxication. Vous pourrez vous en procurer dans les magasins bio soit sous forme concentrée, soit frais. Pour diluer le petit-lait concentré, suivez les indications figurant sur la boîte ou la notice.

Fouette le métabolisme

Comment s'y prendre

Pour un bain au petit-lait frais, vous aurez besoin d'une brique de 1 litre. Faites-vous couler un bain à 38 °C et versez-y le petit-lait. Sortez de la baignoire au bout de 20 à 30 mn et n'oubliez pas de vous reposer ensuite pendant quelques minutes. Baignez-vous ainsi pendant quatre à six semaines à raison de deux ou trois fois par semaine, mais pas plus, car sinon vous risqueriez de surmener votre organisme.

Ne vous baignez pas tous les jours

Attention

Il est une fois de plus recommandé aux personnes allergiques de tester au préalable leur tolérance au produit concerné, et aux personnes souffrant de troubles cardiovasculaires de ne surtout pas recourir aux bains thérapeutiques sans l'avis de leur médecin.

Enveloppement du foie

Véritable centrale énergétique de notre organisme, le foie joue aussi un rôle très important en ce qui concerne la détoxication. En favorisant la circulation du sang dans ses tissus, l'enveloppement du foie a pour effet d'améliorer le métabolisme général.
Vous aurez besoin d'un linge en lin, d'une bouillotte et d'une grande serviette de toilette.

Attention

Retirez immédiatement l'enveloppement si vous ne vous sentez pas bien ! En cas d'hépatite, d'hépatomégalie, de tumeur ou de calculs biliaires, il est déconseillé de pratiquer l'enveloppement du foie.

Comment s'y prendre

Pliez le linge en deux dans le sens de la longueur. Plongez-en un tiers dans de l'eau chaude et essorez soigneusement. La température doit être telle que la peau de votre ventre puisse supporter le contact du tissu. Allongez-vous sur le dos et posez

Vérifiez la température

d'abord la partie humide sur votre ventre. Posez ensuite la bouillotte remplie d'eau bouillante et rabattez la partie sèche du linge par-dessus. Enroulez maintenant complètement le drap de bain autour de votre taille. Couvrez-vous avec un plaid et laissez agir l'enveloppement pendant 20 mn tout en vous relaxant au maximum. Une fois ce laps de temps écoulé retirez l'enveloppement et reposez-vous encore pendant une demi-heure.

Laissez agir 20 mn

Masque facial à l'argile

Les personnes qui souffrent de surmenage métabolique ont souvent la peau grasse et présentent des rougeurs et des desquamations au niveau du front, des ailes du nez et du menton. L'application d'un masque à l'argile sur le visage peut aider à faire disparaître ces symptômes, car il dilate les pores de la peau et aspire les impuretés tout exerçant une action anti-inflammatoire et antiseptique. Demandez conseil à votre pharmacien.

Dilate les pores...

Comment s'y prendre

Délayez la poudre d'argile avec un peu d'eau tiède et appliquez la pâte ainsi obtenue sur les parties grasses de votre visage – évitez les lèvre et le contour des yeux. Au bout de 15 mn, le masque commence à sécher. Les pores se referment, tandis que le sébum et toutes les toxines qu'il contient restent prisonniers de l'argile. Attendez encore 5-10 mn, puis lavez-vous le visage à l'eau froide et séchez-vous délicatement. Si vous vous sentez les traits tirés, appliquez une crème hydratante adaptée à votre type de peau afin de rendre à votre visage toute sa souplesse et son éclat.

... et aspire le sébum et les toxines

Laissez-vous aller à a rêverie

Détente et relaxation

Savoir se détendre est extrêmement important pour le bon fonctionnement de l'organisme. Cela se remarque notamment lorsque l'on fait un enveloppement de l'abdomen ou que l'on prend un bain de plantes, car on sent alors que ces mesures n'agissent pleinement que si l'on s'accorde un temps de repos juste après. La lumière vive du soleil, le bruit, le manque d'aération, les températures désagréables et la sonnerie ininterrompue du téléphone sont autant de facteur de stress qui provoquent une tension involontaire du corps et qu'il faut chercher à éviter.

Influences extérieures et stress professionnel...

Reposez-vous à chaque fois que vous en éprouvez le besoin et prenez le temps de vivre. Que vous vous allongiez sur une pelouse en été ou sur votre lit ou votre canapé en hiver, veillez toujours à ce que l'endroit soit exempt de facteurs de stress. Si, pour vous détendre, vous avez besoin de musique, ne la mettez pas fort et choisissez quelque chose de doux.

... doivent être évités autant que possible

La méditation dans la nature

À l'aube ou au crépuscule, la nature offre quantité de spectacles inattendus, de grands et de petits miracles. Accordez-vous le temps de les admirer. Même dans les grandes villes il y a des lieux où vous pouvez vous sentir seul à seul avec les éléments et exercer tous vos sens. Mettez-vous à l'endroit qui vous semble le plus beau et le plus agréable et observez la végétation, le ciel, les oiseaux et les insectes. Laissez-vous aller à la rêverie, abandonnez-vous à ce moment de détente que vous offre la nature.

Objets agréables pour les sens

Le voyage intérieur

Asseyez-vous ou allongez-vous à l'endroit le plus agréable de votre appartement ou de votre maison. Fermez les yeux, détendez-vous et laissez vagabonder vos pensées. Si vous êtes très stressé(e), il se peut que les idées négatives prennent le dessus sur les idées positives. Essayez de penser à des choses agréables, à des moments de bonheur. Imaginez, par exemple, une promenade sur la plage ou une expérience très positive que vous auriez faite. Vous pouvez aussi essayer de vous représenter en imagination vos projets d'avenir réalisés. Mais attention, évitez de bâtir des châteaux en Espagne, car au sortir de votre rêverie vous risqueriez de trouver l'existence fade et un brin déprimante, ce qui aurait l'effet inverse de celui recherché.

Évadez-vous en pensée

'hink positive »

Si les techniques de relaxation vous intéressent, il existe de nombreux livre sur le sujet disponibles en librairie (voir Bibliographie, page 92).

Massages

Les massages produisent sur notre corps un effet particulièrement décontractant et agissent en profondeur sur les tissus. En s'exerçant chez soi, même le profane peut acquérir une bonne technique et pratiquer sur lui-même ou sur un partenaire lorsque le besoin s'en fait sentir.

Le massage s'apprend

Il convient tout d'abord d'énoncer quelques règles primordiales : lorsque vous massez un partenaire, il faut que vous fassiez des mouvements lents, que vous parliez d'une voix calme et que ce que vous disiez contribue à faire naître un climat de confiance et de décontraction ! Avant de commencer, réchauffez-vous les mains en les frottant l'une contre l'autre ou, au besoin, en les plongeant dans de l'eau tiède. Placez-vous ensuite dans une posture décontractée à côté de votre partenaire. Veillez à avoir de l'huile de massage à portée de main.

Ayez toujours les mains chaudes

Massage à deux

La personne massée doit s'allonger torse nu sur un support confortable mais pas trop mou. Couvrez-lui le bassin et les cuisses avec une serviette ou une couverture afin qu'elle ne prenne pas froid. Elle a les bras le long du corps en position relâchée.

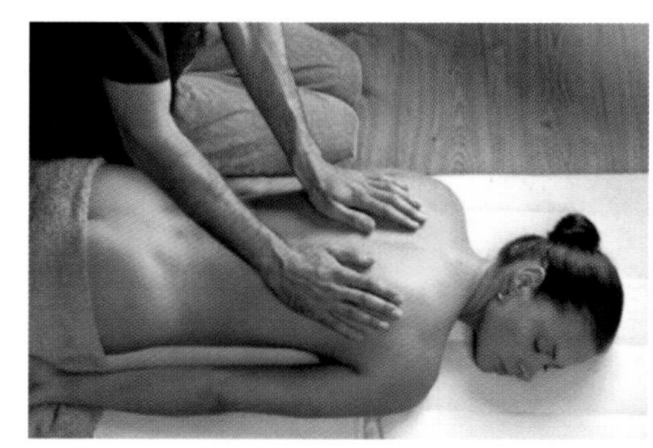

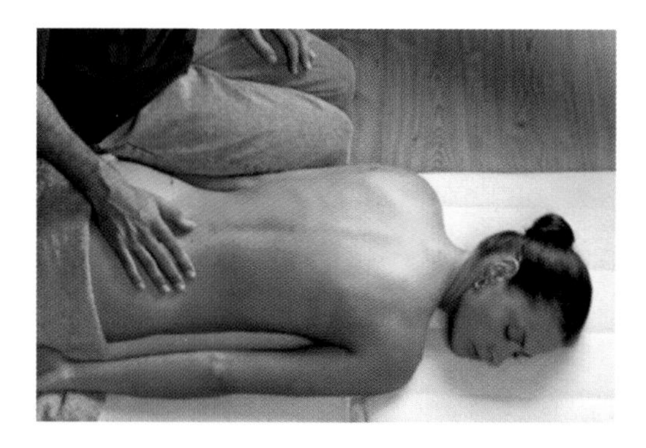

Établir le contact tranquillement

1 Posez une main sans huile sur la région lombaire de votre partenaire et restez dans cette position pendant env. 1 mn afin d'établir le contact épidermique en douceur.

Ne pas rompre le contact

Important : Une fois établi, le contact avec le dos doit rester ininterrompu jusqu'à la fin de la séance. Lorsque vous voulez retirer une main, veillez toujours à ce que l'autre reste en place : une main doit toujours rester en contact avec le dos de votre partenaire !

Étalez l'huile de façon régulière

2 Versez un peu d'huile de massage dans le creux de votre main et étalez-la sur le dos de votre partenaire. Faites d'amples mouvement d'effleurage en allant de haut en bas, c'est-à-dire des omoplates au bassin, et en poursuivant de la taille à la colonne vertébrale.

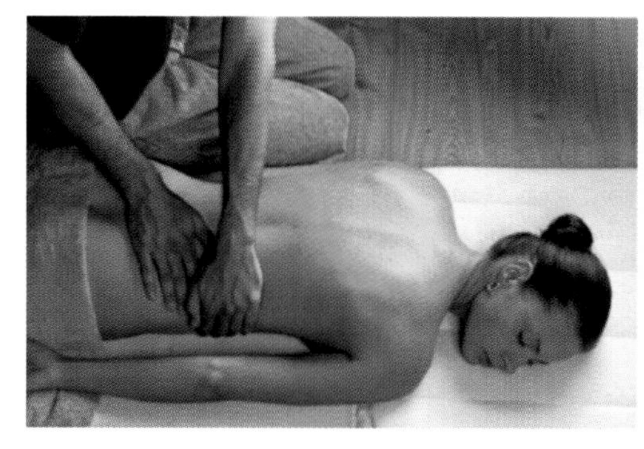

Effleurer latéralement de haut en bas

3 Effleurez d'abord le côté droit, puis le côté gauche, en allant de l'extérieur vers l'intérieur. Commencez là aussi dans la région scapulaire et déplacez vos mains progressivement vers la région lombaire.

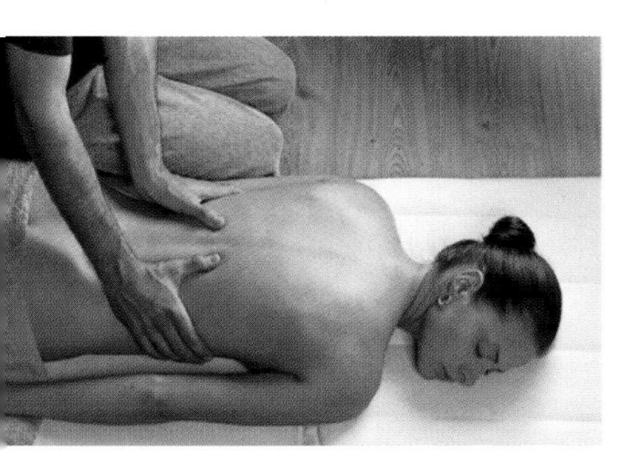

Petits mouvements circulaires des pouces vers le haut

4 Posez les mains sur les hanches de votre partenaire et faites des petits mouvements circulaires légers avec les pouces de part et d'autre de la colonne vertébrale en remontant progressivement vers le cou. La colonne vertébrale forme comme un butoir.

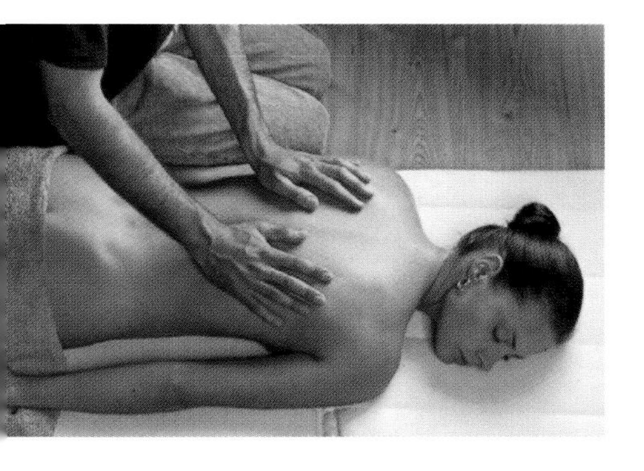

Effleurez encore une fois

5 Une fois dans la région cervicale, effleurez le dos avec les deux mains en allant de haut en bas et de l'intérieur vers l'extérieur. Vous pouvez recommencez deux fois cette série de mouvements.

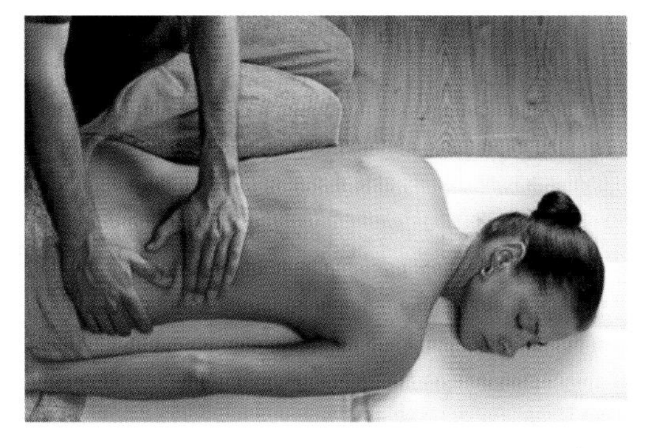

Pétrissage alterné

6 Pour le pétrissage alterné, commencez à l'épaule et déplacez vos mains progressivement vers la région lombaire. Faites d'abord le côté droit, puis le côté gauche. Répétez ce massage deux ou trois fois, puis terminez par un effleurement du dos de bas en haut.

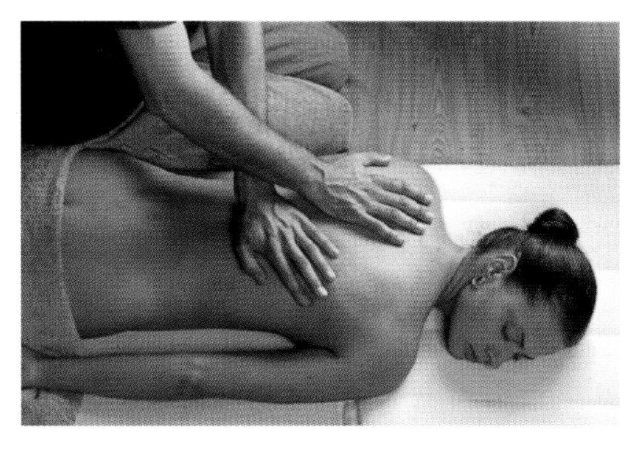

Des huit horizontaux

7 « Dessinez »des huit avec les deux mains posées à plat sur le dos en commençant aux épaules. Décalez légèrement les mains pour qu'elles ne se gênent pas l'une l'autre en cours de route.

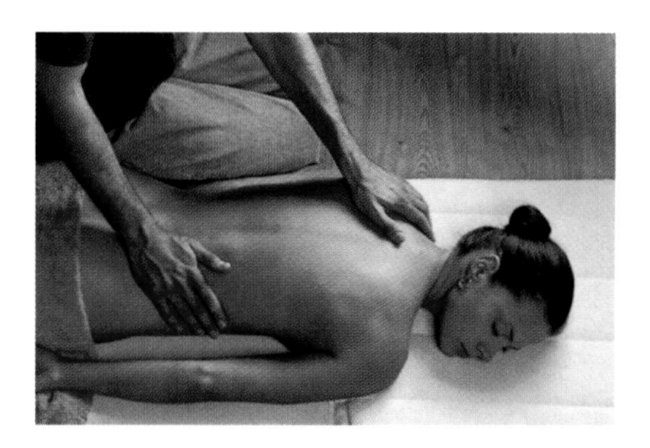

Ne pas interrompre le contact brutalement

8 De même qu'il avait été établi en douceur, le contact doit être rompu progressivement. Laissez votre main gauche environ une minute sur l'épaule gauche de votre partenaire et votre main droite sur sa hanche droite. Inversez ensuite la position des mains en veillant à déplacer celles-ci l'une après l'autre afin de ne pas interrompre le contact.

Fiche récapitulative

- Établir le contact en douceur
- Effleurer de bas en haut
- Effleurer de l'extérieur vers l'intérieur
- Faire des petits mouvements circulaires avec les pouces de bas en haut
- Effleurer de haut en bas
- Pétrir latéralement
- « Dessiner » des huit horizontaux
- Laisser reposer les mains sur les épaules et les hanches
- Interrompre le contact progressivement

9 Pour finir, posez pendant env. 2 mn votre main droite sur le coccyx de votre partenaire et votre main gauche sur sa nuque. Retirez ensuite lentement une main et puis l'autre. Mettez une couverture sur votre partenaire et laissez-le se reposer pendant env. 15 mn.

Un quart d'heure de repos

Si les premières séances ne sont pas concluantes, ne vous découragez pas, car c'est en forgeant que l'on devient forgeron. Dans l'immédiat essayez surtout de faire les choses calmement. Vous remarquerez bientôt qu'il vous sera de plus en plus facile, à vous et à votre partenaire, de vous détendre et de vous laisser aller au plaisir du massage.

Le massage aux huiles essentielles

En additionnant votre huile de massage de quelques goutte d'huiles essentielles, vous pourrez parfaire l'effet de vos massage – dans le sens de la décontraction, de la stimulation ou, pourquoi pas, de l'érotisme. Il existe dans le commerce de plus en plus de compositions prêtes à l'emploi. Que vous optiez pour l'un de ces mélanges ou que vous préfériez faire vos compositions vous-même, il y a un certain nombre de règles à respecter impérativement : l'huile que vous achetez doit être 100 % pure, c'est-à-dire ni reconstituée ni parfumée. Les produits synthétiques ou hémisynthétiques présentent certes la même odeur que les huiles naturelles, mais risquent de provoquer davantage de réactions cutanées indésirables. N'utilisez en outre que des fragrances que vous et votre partenaire aimez. N'appliquez jamais d'huile essentielle directement sur la peau, mais toujours mélangée à un support gras, tel que de l'huile de jojoba, d'amande douce ou de noix de macadamia. Si vous trouvez un mélange qui vous plaise particulièrement, préparez-en en quantité suffisante et conservez-le dans des flacons opaques afin d'en avoir en réserve.

Faites vos propres mélanges

Comment s'y prendre

La composition suivante est à la fois relaxante, stimulante et revigorante :
- 50 ml d'huile de jojoba
- 1 goutte de lavande
- 2 gouttes de palmarosa
- 2 gouttes de citron
- 1 goutte de bois de rose

Si vous voulez trouver le repos et chasser la fatigue de la journée, essayez la composition suivante :
- 50 ml d'huile d'amande douce
- 2 gouttes d'ylang-ylang
- 5 gouttes de lavande
- 3 gouttes de bois de cèdre

Versez le support dans un flacon suffisamment grand, ajoutez les huiles essentielles et mélangez les ingrédients en faisant rouler rapidement le flacon entre vos mains, ce qui permet aussi de porter la préparation à température du corps.

En utilisant un diffuseur ou un brûle-parfum, vous pouvez en outre créer chez vous une atmosphère agréable et saine.

Attention

Dans certains cas, il arrive que les huiles essentielles provoquent des allergies, soit que l'huile elle-même soit mal supportée – ce qui est relativement rare – soit qu'elle contienne des résidus chimiques allergènes. C'est pourquoi il faut toujours lire attentivement les indications figurant sur le flacon ou la boîte. Veillez à ce qu'apparaissent notamment les mentions suivantes :
- huile essentielle 100 % pure
- le nom de la plante en français et en latin
- des indications quant à la qualité du produit : « de culture biologique contrôlée » ou « plante sauvage issue de la cueillette »
- « garanti sans résidus »

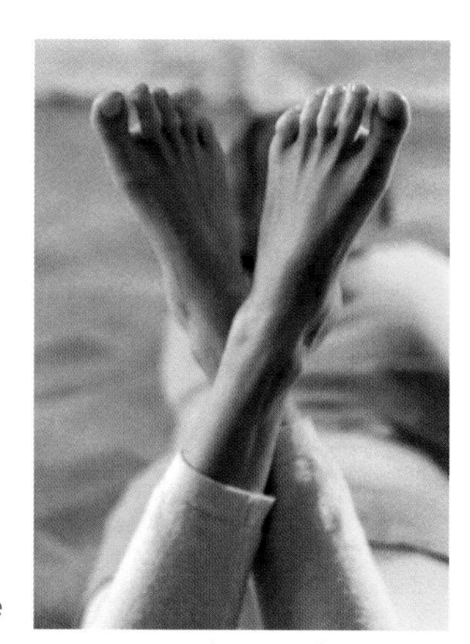
Automassage

Se masser les pieds réveille les sens

Lorsque vous êtes seul(e), rien ne vous empêche de vous masser les pieds et les jambes. En vous y prenant bien, vous parviendrez ainsi réveiller tout votre organisme.

Comment s'y prendre

Asseyez-vous sur une serviette de toilette au bord de votre lit ou d'une chaise. Posez une jambe sur un tabouret placé devant vous et étalez soigneusement l'huile de massage par effleurements sur toute la jambe.
Pétrissez maintenant le côté extérieur de la cuisse de haut en bas en alternant constamment main gauche et main droite. Une fois au genou, remontez par effleurement en direction de la hanche. Faites ensuite la même chose sur le dessus de la cuisse, sur le dessous puis sur le côté intérieur. N'oubliez pas, avant de changer de côté, d'effleurer à chaque fois en direction du cœur.

Commencez par la cuisse...

Procédez maintenant de même pour le mollet. Partez du pied et pétrissez alternativement des deux mains en remontant jusqu'au genou, puis effleurez en sens inverse. Massez chaque jambe deux fois de la même façon.

...jusqu'au pied en passant par le mollet

Vient ensuite le massage du pied. S'il le faut, versez encore un peu d'huile de massage dans la paume de votre main et enduisez-en votre pied. Posez celui-ci sur la cuisse de l'autre jambe de façon à pouvoir en manipuler plus facilement la plante.
Massez chaque orteil plusieurs fois avec le pouce et l'index en commençant par le petit. Attardez-vous particulièrement sur le gros orteil, surtout sur le dessous.
Pour la plante, posez les deux mains sur le pied et massez avec les pouces en faisant des mouvements circulaires de l'intérieur vers l'extérieur.
Pour finir, effleurez le pied du plat de la main. Une fois le massage terminé, accordez-vous un quart d'heure de repos.

Vos pieds apprécient qu'on s'occupe d'eux

Si vous désirez approfondir vos connaissances sur le massage, plusieurs livres sur ce sujet sont disponibles en librairie (voir Bibliographie, page 92)

Détente et relaxation par le sommeil

Beaucoup de gens ont du mal à se laisser complètement aller lors de séances de méditation ou de relaxation et ne peuvent vraiment se détendre qu'en dormant. Aussi, lorsque l'on est dans ce cas, est-il d'autant plus important d'avoir une bonne` « hygiène de sommeil », c'est-à-dire d'être exigeant sur les conditions dans lesquelles on dort et d'éviter toute perturbation.

Cinq règles pour bien dormir :

La première condition de détente durant le sommeil est la régularité. Notre organisme est soumis à des rythmes biologiques déterminés par l'alternance jour/nuit et les cycles saisonniers. Ce mécanisme de régulation ne commande pas seulement notre veille et notre sommeil, mais également la production par notre organisme d'hormones qui à leur tour influencent notre circulation et les processus chimiques au cœur des cellules. Lorsque l'on ne parvient pas à s'endormir spontanément ou que l'on se couche à des heures très variables, nos biorythmes risquent de se dérégler. Pour éviter cela, essayez chaque jour de vous endormir et de vous réveiller plus ou moins à la même heure. En tout état de cause, soyez couché avant minuit.

Des heures de sommeil régulières

Mais le caractère récupérateur de notre sommeil est également soumis à des facteurs extérieurs. Il est par exemple recommandé de prendre son dernier repas au plus tard trois heure avant d'aller au lit afin de ne pas se coucher sur un estomac plein. Veillez aussi à ce que votre chambre soit suffisamment aérée durant la nuit, car le métabolisme a besoin de beaucoup d'oxygène pour fonctionner correctement. Un environnement calme serait souhaitable, mais les conditions de vie moderne ne le permettent malheureusement pas toujours.

Ne pas manger trop tard le soir

Une bonne aération

Vous avez en revanche toujours la possibilité de vous protéger de la pollution électrique – tout du moins dans votre chambre à coucher. Bannissez une fois pour toute les radioréveil sur les tables de nuits et les postes de télévision au pied du lit ; les appareils électroménagers n'ont rien à faire dans une chambre, ou doivent être en tout cas complètement éteints durant la nuit.

Un environnement calme

Éteignez les appareils électroménagers

Troisième étape – l'équilibre acido-basique au quotidien

Un peu de patience

Il n'est certes pas si facile d'appliquer au jour le jour tout ce qui vient d'être décrit, et cela d'autant plus que l'amélioration de votre état de santé – but que vous recherchiez en achetant ce livre – ne peut être que très progressive. Si vous souffrez d'hyperacidité depuis longtemps, ce n'est pas en mangeant pendant quelques jours des mets alcalinisants que vous rétablirez durablement votre équilibre acido-basique. Cela dit, si, pendant huit jours, vous avez suivi la cure proposée et pris soin de votre corps et de votre esprit comme il vous a été conseillé, vous devriez normalement ressentir une amélioration sensible qui ne peut que vous encourager à poursuivre dans cette voie.

Accordez-vous une période d'essai !

Pour être sûr d'atteindre votre but, l'équilibre acido-basique, choisissez une approche lente et progressive. L'expérience a montré que plus les changements sont radicaux, moins nos bonnes résolutions ont de chances de tenir. Pour vraiment obtenir les résultats escomptés, prenez donc le temps de vous habituer à votre nouveau mode de vie. Commencez par une journée de mise au repos de votre organisme, puis choisissez des aliments qui vous tentent tout en étant bons pour votre corps : prenez la chose plutôt comme un jeu que comme un défi ou une corvée ! Et s'il vous arrive de craquer, laissez-vous aller à quelques friandises. Du moment que vous revenez ensuite automatiquement aux aliments alcalinisants, c'est que vous avez gagné !

Ne chamboulez pas tout

Choisissez des aliments qui vous tentent

Un jour de mise au repos pour commencer

Avant de commencer votre cure de huit jours, accordez un jour de repos à votre organisme. Mangez peu ce jour-là et buvez uniquement des tisanes ou de l'eau minérale plate, en plus grande quantité que d'habitude, c'est-à-dire au moins deux litres et demi. Vos repas se composeront de crudités, de fruits et de bouillon de légumes. Renoncez aux sucreries et aux substances dévitalisantes, telles que le tabac, l'alcool ou le café.

Buvez beaucoup d'eau

La mise au repos suppose également que vous évitiez le stress et tout ce qui est susceptible de provoquer chez vous une tension psychique. Prenez « congé » de tous les facteurs de surmenage.

Évitez le stress

Faire les choses tranquillement

Avant de changer ses habitudes alimentaire et son mode de vie, il faut commencer par faire le point sur son métabolisme. Pour cela, reportez-vous à la partie théorique située au début de l'ouvrage, et notamment au chapitre concernant l'établissement de votre profil acido-basique journalier (voir page 28). Le fait d'essayer différentes choses vous permettra à la longue de savoir ce dont votre corps à besoin. Vous constaterez par exemple bientôt avec surprise que votre pH urinaire correspond à peu près à vos estimations. C'est pourquoi il deviendra rapidement inutile de le mesurer tous les jours. Surtout, ne contractez pas la manie du mesurage ! Une fois sensibilisé, il vous suffira le plus souvent d'écouter votre corps pour savoir où vous en êtes en ce qui concerne votre métabolisme.

Inutile de mesurer tous les jours son pH urinaire

N'oubliez pas l'exercice

Donnez la priorité aux activités sportives qui vous font plaisir. Le vélo, la natation et la marche à allure rapide, qui fait actuellement fureur sous le nom de « walking », sont particulièrement recommandés. Quoi que vous choisissiez, le plus important est que vous évoluiez à l'air frais, car cela permet d'éliminer beaucoup d'acides par la respiration (voir page 10). Rien qu'en pratiquant le sport de votre choix trois fois par semaine pendant trois quarts d'heure, vous ferez énormément pour l'amélioration de votre métabolisme.

Faire de l'exercice au grand air est excellent

L'effort physique doit toujours être source de plaisir, pour ne pas se décourager. Pour cette raison, beaucoup de gens préfèrent s'inscrire dans un club ou se joindre à un groupe, question de motivation. Il existe dans toutes les villes des associations sportives prêtes à vous accueillir et à vous proposer différents types d'activité : course à pied, gymnastique, danse, tennis, etc. Renseignez-vous après de votre mairie.

45 mn trois fois par semaines suffisent

Équilibrer son rapport acido-basique avec des préparations minéralisées

Il est incontestable que seule une alimentation adaptée et une bonne hygiène de vie permettent d'atteindre et de conserver durablement l'équilibre acido-basique. Il est toutefois possible de s'aider de temps à autre d'une préparation à base de sels minéraux et d'oligo-éléments ou même en prenant des médicaments spécifiques. À mon avis, mieux vaut cependant essayer de s'en passer autant que possible, car ces produits – qui représentent une solution de facilité - interviennent trop brutalement dans le métabolisme. Chercher à donner à tout prix à son pH urinaire une valeur alcaline sans corriger en même temps son alimentation et son mode de vie ne présente de plus pas grand intérêt. Certaines personnes s'imaginent qu'en faisant baisser artificiellement leur taux d'acidité, elles pourront continuer à manger n'importe quoi, à fumer et à boire impunément. Or s'est une illusion totale. En tout état de cause, les préparations et médicaments contre l'acidose ou l'hyperacidité sont impuissants à nous apporter un équilibre acido-basique à long terme !

Une préparation : exceptionnellement

Personnellement, j'ai pris la décision une fois pour toutes de vivre et de me nourrir de façon « basique » et cela me réussit si bien que je n'ai plus jamais recours aux subterfuges médicamenteux pour être en forme. Si toutefois, après en avoir parlé à votre médecin ou à votre thérapeute, vous décidez de compléter votre réforme alimentaire et votre changement de mode de vie par la prise d'un produit désacidifiant, tenez-vous-en à une cure de temps en temps et veillez à ce que cela ne devienne pas une habitude.

À terme, la réforme est plus efficace

Préparations chimiques

Vous trouverez en pharmacie nombre de préparation destinées à lutter contre l'hyperacidité. Elles se présentent généralement sous forme de comprimés ou de poudre à diluer dans un peu d'eau et contiennent essentiellement des sels minéraux et des oligo-éléments, tels que potassium, calcium, sodium, magnésium, fer, zinc, manganèse, cobalt ou cuivre Friedrich Sanders, pionnier de l'équilibre acido-basique, a mis au point une poudre alcalinisante qui agit comme tampon contre les acides tout en augmentant l'apport en minéraux. La composition originale se présente comme suit :

- phosphate de sodium 10,0
- bicarbonate de potassium 10,0
- carbonate de calcium 100,0
- bicarbonate de sodium 200,0

Vous pouvez commander cette préparation auprès de votre pharmacien. Mettez-en une demi-cuillerée à café dans 25 cl d'eau, agitez énergiquement et buvez la solution après le repas. Si vous êtes alors pris de renvois, cela veut dire que le « tamponnage » des acides dans l'estomac a eu lieu.

Souvenez-vous toutefois que les poudres basiques ne doivent être prises que de façon temporaire et exclusivement en accord avec votre médecin !

Préparations à base de plantes

Le pouvoir des plantes

Outre les préparations contenant uniquement des minéraux, il existe aussi des préparations à base de plantes, ne devant elles aussi être utilisées que sur prescription médicale. Les produits suivants sont connus pour leur effet alcalinisant sur l'organisme :

- pollen de fleur fermenté
- spiruline (algue)
- pousses d'alfalfa
- extrait de jus de pousses de blé ou, mieux encore, extrait de jus d'orge vert (Green Magma, distribué par Celnat).

Attention en cas de maladie

Attention :

Il est vivement recommandé aux personnes souffrant d'insuffisance rénale ou suivant un traitement contre la rétention d'eau de ne pas prendre de préparations alcalinisantes, car celles-ci interviennent trop brutalement dans l'économie minérale de l'organisme. Il en va de même pour les personnes dont l'estomac ne produit pas assez d'acides (alcalose), car il y a alors risque d'aggravation des symptômes que sont, par exemple, le sentiment de réplétion et les lenteurs digestives.

Les tisanes désacidifiantes – une bonne solution

Si vous voulez augmenter ponctuellement votre apport en minéraux afin de favoriser votre équilibre acido-basique et vous sentir plus en forme, rien ne vous oblige à recourir aux préparations chimiques ou végétales un peu trop violentes dont il a été question précédemment : vous pouvez tout simplement vous préparer par vos propres moyens une tisane désacidifiante. Tous les ingrédients dont vous avez besoin pour cela sont vendus en pharmacie, en herboristerie ou dans les magasin de produits diététiques. Demandez conseil à votre pharmacien ou au vendeur-conseil.

Faites-vous votre propre composition

Comment s'y prendre

- 2 c. à café de prêle des champs
- 2 c. à café d'ortie
- 1 c. à café de graines de fenouil égrugées
- 1/2 c. à café de cresson officinal

Mettez tous les ingrédients dans un filtre à thé et versez par-dessus un demi-litre d'eau bouillante. Laissez infuser pendant six minutes, retirez le filtre et gardez la mixture au chaud dans une bouteille Thermos.

Buvez une tasse de cette tisane désacidifiante trois fois par jour, la première devant impérativement être prise le matin à jeun.

Vie harmonieuse – équilibre des forces contraires

L'esprit fait partie du tout

Que toutes ces considérations d'ordre corporel ne nous fassent pas négliger votre équilibre psychologique, car lorsque notre mode de vie ne nous permet pas d'offrir à notre esprit la relaxation, le repos et les soins dont il a besoin, toute recherche d'équilibre acido-basique est vouée à l'échec. Aussi, plus vous vivrez de façon harmonieuse plus vous aurez de chance d'être en bonne santé physique et morale.

Le stress fait partie de la vie...

...mais ne doit pas prendre le dessus

Très peu de gens peuvent aujourd'hui se permettre de mener une vie complètement exempte de stress. Il ne s'agit pas ici de dénoncer les défis privés ou professionnels que l'on se lance à soi-même et qui renforcent la personnalité, mais plutôt la surenchère d'activité et la précipitation inutile faisant qu'un jour arrive où le vase déborde.

Harmonie entre tension et détente

Représentez-vous les différents aspects de votre existence comme étant les pièces d'un mobile. Seul l'équilibre des forces permet à cet objet décoratif de ne pas s'affaisser d'un côté ou d'un autre. Toute sa beauté réside justement dans le fait qu'il ne pend pas pesamment du plafond, mais qu'il se meut doucement au gré des courants d'air. Notre vie devrait ressembler à ce mobile, c'est-à-dire se caractériser par un équilibre harmonieux entre tension et détente.

Réconcilier les contraires

La monade, unité parfaite, symbole de l'harmonie, illustre le jeu des forces contraires. L'objet est rond, fermé sur lui-même comme une balle. Les différents éléments s'enchevêtrent, chacun contenant un peu des autres. Qu'il s'agisse du Yin et du Yang, du pour et du contre, du bonheur et du malheur, des acides et des bases – tout se fond en un cercle unique, balle avec laquelle il nous incombe de jouer avec le plus d'adresse possible.

Glossaire

Argile : l'argile utilisée pour les soins corporels est obtenue par , broyage et nettoyage de terre glaise séchée. Appliquée sur la peau ou les muqueuses, elle en aspire les impuretés. Elle est utilisée soit en usage interne pour lutter contre la diarrhée ou les irritations gastro-intestinales, soit en usage externe pour soigner les ulcérations humides ou les éruptions cutanées. On peut également en faire des cataplasmes que l'on applique sur les articulations malades ou les parties molles douloureuses.

Cure F.-X. Mayr : cette cure intestinale porte souvent aussi le nom de « jeûne au pain et au lait ». Outre la diète à proprement parler, elle comprend également un certains nombre de soins effectués sous contrôle médical, tels que des lavements de plus ou moins grande ampleur ou des méthodes d'activation du métabolisme. Assurez-vous au préalable que vous n'êtes pas allergique au lait ou au blé.

Jeûne : le jeûne n'a rien à voir avec la faim. Sous le contrôle d'un médecin, vous renoncerez dans un laps de temps déterminé à toute nourriture ou quasiment ; en revanche, vous vous hydraterez abondamment en buvant des tisanes, des jus ou de l'eau minérale. En suspendant les fonctions digestives, cette méthode permet de mettre l'organisme au repos. Pour trouver l'énergie dont il a besoin, le corps est alors contraint de puiser dans ses réserves, ce qui favorise l'élimination des toxines et l'autorégénération. Pour accroître l'efficacité du jeûne, vous pouvez aussi procéder à des lavements afin de nettoyer la muqueuse intestinale.

Remèdes Kneipp : c'est grâce à l'abbé Sébastien Kneipp, très connu en Allemagne pour la gamme de soins dont il est à l'origine, que l'hydrothérapie, ensemble de méthodes pratiquées au Moyen Âge pour harmoniser les fonctions des organes internes, a été remise au goût du jour au XIXe siècle. Une cure Kneipp complète ne se limite toutefois pas à l'hydrothérapie, mais implique également l'usage de plantes médicinales, une alimentation saine, de l'exercice et un mode de vie équilibré. Autrement dit : un esprit sain dans un corps sain.

Training autogène : le training autogène est une méthode de relaxation simple. Après vous être débarrassé(e) de vos tensions corporelles par six séries progressives d'exercices, vous acquerrez la faculté d'orienter vos pensées et vos sensations dans un sens positif. En répétant certains « mantras » vous pourrez ensuite, notamment en situation de stress, influer sur votre état psychique.

Un temps pour chaque chose

Sous le firmament,
il y a un temps pour chaque chose :
un temps pour naître
et un temps pour mourir,
un temps pour semer
et un temps pour récolter,
un temps pour blesser
et un temps pour soigner,
un temps pour détruire
et un temps pour rebâtir,
un temps pour pleurer
et un temps pour rire,
un temps pour se lamenter
et un temps pour danser,
un temps pour dilapider
et un temps pour amasser,
un temps pour embrasser
et un temps pour se séparer,
un temps pour chercher
et un temps pour perdre,
un temps pour conserver
et un temps pour jeter,
un temps pour déchirer
et un temps pour recoudre,
un temps pour se taire
et un temps pour parler,
un temps pour aimer
et un temps pour haïr,
un temps pour la guerre
et un temps pour la paix

Salomon

Pour en savoir plus

Dans la même collection

R. Collier, *Renaître grâce à une cure intestinale,*
B. Küllenberg, *Les bienfaits du vinaigre de cidre,*
M. Grillparzer, *Brûleurs de graisse,*
D. Langen, *Le training autogène,*
M. Lesch, G. Forder, *Kinésiologie : réduire le stress et renforcer son énergie,*
E. Pospisil, *Le régime méditérranéen,*
G. Sator, *Feng Shui. Habitat et harmonie,*
S. Schmidt, *Fleurs de Bach et harmonie intérieure,*
B. Sesterhenn, *Purifier son organisme,*
H-M Stellmann, *Médecine naturelle et maladies infantiles,*
W. Stumpf, *Homéopathie pour les enfants,*
F. Wagner, *L'acupression digitale,*
F. Wagner, *Le massage des zones réflexes,*

Adresses utiles

Herboristerie du Palais Royal
11, rue des Petits Champs
01.42.97.54.68
75001 PARIS

Herboristerie d'Hippocrate
42, rue Saint-André-des-Arts
75006 PARIS
01.40.51.87.03

Herboristerie Parisienne
place Clichy, 87,
rue d'Amsterdam
75008 PARIS
01.48.74.83.32

Herboristerie Pigault-Aublanc
30, rue Pasquier
75008 PARIS
01.42.65.36.21

Floralpina – Herboristerie Suisse
19, rue Juifs
67000 STRASBOURG
03.88.37.08.28

Herboristerie Croix Rousse
2, quai Jules Courmont
69002 LYON
04.78.37.49.66

Index

Index

Crédits photographiques :
Photos : Barbara Bonisolli
Autres photos : jump Titel, p. 1 ; Mike Masoni, p.66 ; Christophe Schneider p. 6, 67, 82 ; Infostelle Vital durch Entsäuerung, p. 8, 13 ; Image Bank, p. 20 ; Bavaria Bildagentur, p. 24 ; Tony Stone, p. 38, 76 ; Rainer Schmitz p. 4, 73, 4ème de couverture ; Gudrun A. Kaiser, p. 78-80.
Dessin : Martin Scharf

Traduit de l'allemand par Manuel Boghossian

Dépôt légal : février 2001 - ISBN 2 7114 1481 7
Imprimé en France par Pollina, 85400 Luçon - n° L 82513
Imprimé en France.